D0228814

De dame in het blauw

Noëlle Châtelet

De dame in het blauw

Uit het Frans vertaald door Théo Buckinx

UITGEVERIJ DE GEUS

Oorspronkelijke titel *La Dame en bleu*, verschenen bij Éditions
Stock, Parijs 1996
Oorspronkelijke tekst © Éditions Stock, Parijs 1996
Nederlandse vertaling © Théo Buckinx en Uitgeverij De Geus bv,
Breda 2000
Omslagontwerp Studio Jan de Boer BNO
Omslagillustratie © The Picture Box / Stock Image
Foto auteur © Irmeli Jung
Lithografie TwinType, Breda
Druk Koninklijke Wöhrmann bv, Zutphen

ISBN 90 5226 828 2
NUGI 301

Verspreiding in België uitgeverij EPO,
Lange Pastoorstraat 25-27, 2600 Berchem

De dame in het blauw

S olange loopt op straat. Zij laat zich meevoeren door de massa, de mensenstroom. Ze heeft geen haast, niets dwingt haar daarmee gelijke tred te houden, maar ze doet het toch. Zo is het nu eenmaal. Zo is het altijd geweest.

Vóór haar, op de brede boulevard, wordt de stroom geremd. Iets houdt hem tegen. Stagneert hem. De natuurlijke orde, het tempo wordt bedreigd. Niemand maakt op dit uur van de dag graag een omweg, niemand wordt graag gedwongen langzamer te lopen door iets dat de zaak blokkeert of ophoudt.

Solange komt op haar beurt aan bij dat iets. Tot haar verbazing is het een oude dame.

Dus zij is het strootje dat in de weg ligt, de oorzaak van de ontregeling?

Solange laat de anderen passeren. Ze lopen haar voorbij

en werpen een geërgerde blik op de vrouw die alles ophoudt; daarna gaan ze ervandoor, vastbesloten de stroom in te halen en het tempo, de collectieve opmars als bij afspraak terug te vinden, alsof ze allemaal hetzelfde doel nastreven.

Solange aarzelt. Ze houdt de pas in. Het zou overdreven zijn te zeggen dat dit weloverwogen gebeurt. Het is meer een impuls. Een impuls die ertoe leidt dat ze haar passen afstemt op die van de oude, onverstoorbare dame die naast haar heel nauwgezet, voetje voor voetje, voortloopt en in een zacht wiegende beweging van haar lichaam en met enigszins gebogen hoofd, alsof ze het regelmatige ritselen van haar marineblauwe crêpe jurk langs haar lichte katoenen kousen wil horen, haar voeten op het asfalt plaatst. Haar witte haar in een knotje laag onder de eveneens blauwe hoed, de nethandschoenen die passen bij haar gevlochten leren tasje: alles is zorgvuldig bedacht op een elegante wandeling.

De oude dame in het blauw loopt rustig voort, ingehouden door een soort waardigheid, onverschillig voor de opwinding om zich heen. Ze kuiert onverholen, zij het zonder opzet, terwijl de anderen hollen.

Solange heeft geleidelijk aan haar ritme overgenomen. Ze heeft haar passen ingekort en tracht haar eigen evenwicht te vinden. Elke stap krijgt nu een andere bekoring. Het trage tempo geeft hem een eigen aantrekkingskracht.

Lange tijd loopt Solange zo in het spoor van de excentrieke wandelaarster. Ze geniet van de vertraging en maakt deze tot de hare.

Maar nu is Solange bij de kruising met haar eigen straat aangekomen. Ze moet afscheid nemen van de oude dame. Ze wacht even, weifelt nogmaals. Heeft haar geheime gezellin haar aarzeling opgemerkt? In elk geval kijkt ze voor het eerst om.

De korte, bijna onopvallende blik die ze op Solange vestigt heeft iets van een glimlach, en die glimlach heeft iets van instemming. Instemming waarmee?

Solange glimlacht spontaan terug. Op haar beurt stemt ze in. Waarmee?

Daarna haalt ze adem en slaat ze de hoek van de straat om.

Het is gebeurd.

Solange loopt nauwgezet, heel regelmatig, ze weegt de

druk van elke voetstap op het asfalt af in een licht heen en weer wiegen van haar lichaam, haar hoofd houdt ze als bewust enigszins gebogen.

Solange wordt rustig wakker, lang nadat om zeven uur de wekker is afgelopen, wat ze zich nog slechts vaag herinnert. Ze gunt zich de weelde van een tweede pot hete thee, iets wat ze over het algemeen alleen op zondag doet als ze zich overgeeft aan wat zijzelf haar 'abluties' noemt: een bijzondere oefening die erin bestaat haar gedachten te ordenen en met haar geweten in het reine te komen.

Vandaag moet als eerste de ontmoeting van de vorige dag worden afgestoft. Die verdient bij de mentale schoonmaak een bijzondere aandacht.

Misschien zou Solange moeten trachten te achterhalen hoe en waarom er iets veranderd is sinds ze ja heeft gezegd tegen een oude dame in het blauw.

Maar merkwaardig genoeg voelt Solange er erg weinig voor over dat ja na te kaarten, alsof de ervaring ervan voldoende is, alsof het reeds deel uitmaakt van de dingen waarover niet te discussiëren valt, alsof het iets vanzelfsprekends is.

Nee, werkelijk, op dit ogenblik houdt eerder haar dochter Delphine haar geest bezig. Het is dinsdag, de dag van hun gezamenlijke etentje in Chez Pierre, in de Rue de Vaugirard.

Delphine, die net haar eenentwintigste verjaardag heeft gevierd, woont al verscheidene maanden op zichzelf in een piepklein appartement dat ze te danken heeft aan de welwillendheid van haar vader en waar de aanbidders elkaar opvolgen.

Hun etentjes op dinsdagavond zijn een manier om de voor- en nadelen van dit toestromen van mannen tegen elkaar af te wegen en Solanges huishoudelijke kwaliteiten zijn niet overbodig, temeer daar ze deze eerder aanwendt als oudere zus dan als moeder, eerder in een goede verstandhouding dan in de vorm van terechtwijzingen, want sinds haar scheiding, sinds zijzelf haar onafhankelijkheid terug heeft, kent Solange, die het evenmin kan bijhouden als haar dochter, ook het probleem waar het om mannen gaat te moeten kiezen tussen wat redelijk en wat onredelijk is.

Toch voelt Solange vanmorgen dat ze het beter zou kunnen doen, dat ze meer zou kunnen hebben dan een goede verstandhouding. Een nieuw gevoel zegt haar dat het misschien goed zou zijn Delphine wat meer vanuit de verte, wat meer op afstand te helpen, haar in zekere zin vanuit een andere gezichtshoek te beschouwen. Als moeder? Nee, beter nog, meer dan als moeder. Dat 'meer dan als moeder' heeft geen naam, althans nog niet, maar ze moet Delphine in het vervolg heel zeker raad geven, daarvan is ze overtuigd.

Terwijl ze deze ongebruikelijke gedachten van alle kanten beziet, zoekt Solange zonder zich te haasten in haar kast naar geschikte kleren. In haar garderobe overheerst het rood, een kleur die uitstekend past bij haar gitzwarte haar, dat breed over haar schouders uitwaaiert en reeds lang bij de mannen bewondering en bij de vrouwen afgunst wekt. Haar kleren zijn voor het merendeel kort en getailleerd, haar pantalons aan de strakke kant: kleren die een ietsje pikant zijn voor een vrouw van tweeënvijftig die weet dat ze mooi is en daar graag de aandacht op vestigt.

Verbijsterd maakt Solange de inventaris op van deze

uitstalling van vrouwelijkheid. Om uit te gaan zou ze vandaag graag iets soberders, iets minder opvallends willen hebben. Ze haalt van onder een plastic hoes een zeer geschikt, parelgrijs mantelpakje tevoorschijn waarvan de plooirok, hoewel enigszins uit de mode, haar bevalt. Uit welke tijd stamt dit kledingstuk van een overigens zeer mooie stof? Ze zou het niet kunnen zeggen, maar het staat haar, het staat haar heel goed…

Solange, die niet op haar horloge heeft gekeken, staat ver na elven buiten. Haar straat is niet meer dezelfde: de meeste mensen zijn al aan het werk. De plek behoort toe aan de huisvrouwen, de jonge kinderen en, vooral, aan hen die vroeger bejaarden werden genoemd en die nu vijfenzestigplussers heten, een uitdrukking die doet denken aan de manier waarop het vetgehalte van kaas wordt aangegeven.

Vanmorgen herkent ze de straat, waar ze al jaren doorkomt, nauwelijks. Gewoonlijk baant ze zich zo bezeten een weg over het trottoir dat de voorbijgangers links en rechts van haar als houtspaanders wegspringen. Haar passen zijn meestal dermate vinnig dat de etalages aan haar voorbijflitsen als de beelden van een landschap gezien vanuit een trein op volle snelheid. Ze bestormt de straat, maakt zich van haar meester, dwingt haar zich te onderwerpen. Ze plant haar hoge naaldhakken in het vuil van het wegdek en vliegt vooruit naar iets dat spoed vereist, dat haast heeft.

Ja, maar gewoonlijk, dat was gisteren. Vandaag ligt het anders.

Is het trouwens niet allemaal op straat begonnen?

Als Solange vandaag de oudjes ziet, degenen die alle tijd hebben, komt dat doordat ze even langzaam loopt, in een tempo waarvan de cadans tot haar ziel is doorgedrongen, het tempo van een dame in het blauw.

De aanblik van de straat past bij het ritme van haar nieuwe manier van lopen. De straat onthult zich in de traagheid waarmee zij zich voortbeweegt, een traagheid die alles verandert: de vorm van de huizen, de geuren van de kraampjes, het geluid van de stemmen.

Haar grijze mantelpakje neemt heel deze apathie in zich op.

Jammer dat haar op kantoor werk wacht. Solange zou graag nog een poosje in dit vertrouwde, vertraagd afgespeelde decor hebben rondgeslenterd.

In de verte ziet ze haar bus aankomen. Moet ze hollen om hem te halen? Een deel van haar bereidt er zich reeds op voor. Toch beperkt ze zich tot een klein teken aan de bestuurder, eerder een teken van onverschilligheid dan een seintje: je holt niet als je de verrukking van de indolentie kent, als de vervoering van het pianissimo in je oren klinkt.

Op kantoor draait alles op volle toeren. Het is bijna twaalf uur. Het tikken op de toetsenborden van de computers stopt. De stemmen aan de telefoons stokken. Irene, Colette, Jean-Pierre en Martine zijn als aan de grond genageld van verbijstering.

Solange loopt met kleine, afgemeten pasjes tussen de tafels door naar haar bureau en schenkt iedereen een argeloze glimlach. Ze trekt het jasje van haar mantelpakje uit en hangt het zorgvuldig over de rugleuning van haar stoel.

Colette, haar assistente, haar vriendin, haast zich naar haar toe.

'Wat is er aan de hand, Solange?' vraagt ze, eerder ongerust dan nieuwsgierig.

'Niets, helemaal niets, hoor!' antwoordt Solange engelachtig.

'Je... je bent toch niet ziek of zo?'

'Nee hoor. Ik maak het goed. Heel goed zelfs.'

Solange slaat haar ogen op naar Colette, die op haar lippen bijt en wier gezicht een en al radeloosheid is.

'Nu ja, ik ben er... Als je me nodig hebt...'

'Ja, dank je wel, Colette, maar ik verzeker je dat ik...'

Solange ziet met vertedering hoe haar vriendin zich verwijdert. Ze zou haar moeten zeggen dat haar spijkerbroek te strak zit.

Er dwarrelt een roze papier op haar bureau. Een briefje van Jean-Pierre. Elke dag verwelkomt hij haar zo met een roze eerbewijs met een paar betoverende woorden.

Solange zit nog niet of de telefoon gaat. De producent van een film waarvan zij het uitbrengen heeft verzorgd. Hij is tevreden. Hij spreekt enthousiast over een artikel in een ochtendblad en feliciteert Solange alsof zij het zelf heeft geschreven, wat een beetje waar is, omdat ze de gehaaste journalist een paar bewonderenswaardige opmerkingen heeft ingefluisterd, maar niet helemaal, aangezien zij persoonlijk de film nogal onzinnig vindt. Is de kaartverkoop gestegen? Mooi. Solange is ook tevreden. Ze maken de balans op van het zware geschut: het achtuurjournaal met de regisseur, het omslag van *Paris Match* met de filmster. Solange heeft goed werk geleverd, dat is een feit. Toch, als ze ophangt is er van haar eigen enthousiasme eensklaps niets meer over. Ze voelt zich heel erg uitgeput en ontmoedigd.

Terwijl ze onder het waarschijnlijk tersluiks toeziende oog van Jean-Pierre automatisch diens boodschap openvouwt, denkt ze aan het beroep dat ze met zoveel geestdrift uitoefent, aan de ondernemende manier waarop ze zonder onderscheid goede en slechte zaken verdedigt, aan de onvermoeibare ijver die ze aan de dag legt om een beroep te doen op de recensenten, altijd verleidelijk, soms pluimstrijkend.

Ze is verbonden aan de zaak om de contacten met de pers te onderhouden... Het dubbelslachtige van deze omschrijving spreekt eensklaps voor zich. Ze dacht dat ze verbonden was uit verknochtheid, gebonden door affectieve banden, door een ware genegenheid, maar ze merkt dat ze vooral vastzit, vast als een hond aan de ketting, vrijwillig gekoppeld aan de pers in het bijzonder, maar ook onder druk, onderdrukt uit eigen vrije wil, gedwongen, en bovendien: geprest, voortdurend opgejaagd door de urgentie van elk ogenblik, waardoor de tegenwoordige tijd al verleden tijd is en altijd te laat komt.

Zo vat Solange tussen de rinkelende telefoons en de ronddwarrelende kranten het werk van vijftien jaar samen dat ze tot dusver ondanks de druk zonder ook maar even te morren heeft verdragen. Ondertussen heeft ze het roze papiertje, het onveranderlijke teken van het mannelijke uithoudingsvermogen, opengevouwen.

Ze leest: 'Mijn grootmoeder had een grijs mantelpakje dat op het jouwe leek. Het staat je beeldig… O, dat vergat ik nog: ik had een zwak voor mijn grootmoeder… Prettige dag! Liefs, Jean-Pierre.'

Solange herleest deze woorden verscheidene malen, niet omdat ze zich bijzonder interesseert voor Jean-Pierre, die, hoe sympathiek ook, niets verrassends meer voor haar heeft, maar vanwege één woord, een woord dat ze voor het eerst in haar leven in verband met zichzelf leest: grootmoeder… Normaal zou ze natuurlijk kwaad zijn geweest. Het woord zou haar hebben beledigd en haar als een klap in haar gezicht hebben getroffen. Maar nu leest ze het met genoegen, alsof het een leegte opvult,

alsof het het onbeschrijfelijke beschrijft, het onuitspreke-
lijke van een verlangen op zoek naar een formulering.
Het woord bevalt haar. Het staat haar aan. Het past bij
haar als het grijze mantelpakje dat ze uit de plastic hoes
heeft gehaald. Draaide ze er niet sinds die ochtend om-
heen, juist door aan Delphine te denken? Deze keer heeft
ze het te pakken, dankzij Jean-Pierre, die goeie Jean-
Pierre. 'Meer dan een moeder' …Hoe was het mogelijk
dat ze dat niet had gezien? Het lag helemaal in dat woord
besloten. 'Grootmoeder', de moeder die groter is dan de
moeder, groter in alles: in kennis, in wijsheid, in tederheid, in… Solange kijkt naar de boodschapper, de onbe-
wuste profeet. Aan het gezicht van Jean-Pierre, dat vuur-
rood is aangelopen, is te zien hoe innig de glimlach is die
Solange haar trouwe dienaar schenkt…

Alweer telefoon. De directeur die vanuit de kamer
naast de hare naar haar vraagt. Bernard, de directeur,
een uitstekende mensenmenner met een opgeruimd karakter die door zijn optimisme en vleierij alles en zelfs
meer dan dat van zijn medewerkers gedaan krijgt.

Hij ziet niet dat Solange anders is gekleed dan anders. Maar dat ze te laat is, is niet onopgemerkt gebleven. Niet dat hij daarop let, maar toch. En is Solange niet de pijler waarop het bedrijf rust?

'Er is toch niets mis, hoop ik, Solange?' vraagt hij, zijn bril op zijn kale voorhoofd schuivend.

Solange bewondert in het voorbijgaan de subtiliteit van zijn ontkennende vraag.

'Nee hoor, beste Bernard. Maar weet je, ik heb er gewoon behoefte aan… hoe zal ik het zeggen… het rustig aan te doen. Ja, dat is het: het rustig aan te doen.'

Solanges toon is niet agressief of brutaal. Hij is minzaam. Dat is erger. In werkelijkheid is zijzelf als eerste verbaasd dat ze zich zo uitdrukt: zelfverzekerd en met de superioriteit van iemand die al te lang heeft geleefd om het heden niet met een onverschillige blik te bekijken.

'Overigens,' vervolgt ze heel rustig, 'ik denk niet dat ik morgen kom werken. Misschien donderdagmiddag, of vrijdag… ik zie wel.'

Na deze woorden verlaat ze Bernards kamer, waarbij ze er wel voor zorgt dat ze de deur zachtjes dichtdoet, want je slaat net zo min de deur voor de neus van je meerdere dicht als dat je holt om een bus te halen, ook al heb je de prettige en onherroepelijke indruk dat hij duidelijk je mindere is.

S olange bekijkt zichzelf peinzend in de spiegel boven het glazen planchet met flessen en potjes, het hele arsenaal van bezwerende crèmes, in de badkamer.

De dagelijkse inspectie, voorafgegaan door het geef acht aan de jeugd en het groeten van de vlag van de schoonheid, gaat vandaag niet door. De dappere soldaat die zij is, en altijd geweest is, heeft plotseling de neiging om te deserteren.

In feite bekijkt ze zichzelf om een andere reden dan om schoongeboend en tot de laatste wimper opgemaakt gehoor te geven aan het appèl, een reden die nog niet helemaal tot haar is doorgedrongen. Als Solange vanmorgen een bijzondere aandacht schenkt aan die kleine fatale tekenen, die verdachte kleine sporen van de tijd, is dat op een andere manier dan op andere ochtenden. Deze keer schept ze er een heel vreemd soort genoegen in. In plaats van verontrust te zijn vindt ze ze nu geruststellend.

Ze verkent minder het heden dan de toekomst. Solange maakt dapper een sprong over vandaag heen naar morgen. Ze zoekt zichzelf daar waar ze nog niet is, maar waar ze beslist zal belanden. Ze doet zelfs haar best, ze ziet het aankomen, ze loopt erop vooruit.

In werkelijkheid is het de toekomst die ze zo peinzend in de spiegel in de badkamer in zich opneemt, ze roept de toekomst met een heimelijk, nieuwsgierig en ongeduldig verlangen op…

Daarna verandert het vertrek van aanblik. De flessen en potjes zet ze in de kast. Alleen de talkpoeder en een fles eau de cologne vinden gratie en houden hun plaats op het glazen planchet. Vervolgens beijvert Solange zich om haar prachtige haardos te bedwingen. Ze rolt hem laag in haar nek op tot een knot en zet die met spelden vast. Ten slotte, omdat ze genoeg heeft van haar kleren, stort ze zich opnieuw op het grijze mantelpak dat ze nu al een paar dagen met een witte of zwarte blouse en platte schoenen draagt…

Ook Delphine vond ten slotte dat het mantelpakje haar

goed stond, al gaf ze blijk van een zekere verbazing toen ze haar moeder in het restaurant ontmoette. Beslist een aangenaam etentje, tijdens hetwelk Solange haar dochter in een wijze dosering van vastberadenheid en toegeeflijkheid adviezen gaf die zuiver door gezond verstand waren ingegeven, een gezond verstand dat Delphine meer leek te verbazen dan het mantelpakje. Ten slotte vroeg het meisje met dezelfde ongeruste uitdrukking als op kantoor Colette of alles wel in orde was, waarop Solange met hetzelfde engelachtige gezicht antwoordde dat dat beslist het geval was.

Solange is niet meer naar kantoor teruggekeerd. Ze heeft ook niet gereageerd op Colettes steeds angstiger wordende berichten op het antwoordapparaat en de andere telefoontjes, voor het merendeel van mannen, waaronder het meest indringende afkomstig was van Jacques, haar officiële minnaar, die ze de bijnaam de Fatale heeft gegeven, zowel vanwege zijn voorliefde voor filosofie als om zijn onverbeterlijke manie altijd op het verkeerde ogenblik te komen, alsof hij er systematisch op uit was haar als het lot, het noodlot te overvallen, een fout die weliswaar ver in de schaduw stond bij zijn opmerkelijke neiging zich overal, en onder alle omstandigheden, over te geven aan erotisch vermaak.

Voorlopig heeft Solange iets beters te doen dan toe te geven aan de druk die uitgaat van de vriendschap en de liefde.

Sinds ze ronddoolt op het nieuwe ritme van haar gedachten en haar voetstappen, erop lettend dat ze de cadans, de zacht wiegende beweging, de regelmaat bewaart en elke voetstap afweegt, sinds ze zonder dwang of verplichting rondloopt, ontdekt ze in haar eigen wijk ware wonderwerken, heerlijke binnenplaatsen, onvoorstelbare huizen.

Gisteren heeft haar geflaneer haar heel dicht bij huis naar een piepklein plantsoen gebracht waarvan ze het bestaan niet kende.

Dat plantsoentje gaat ze nu verkennen. Het ijzeren poortje bij de ingang knarst als je het opent en sluit. Dat knarsen doet haar denken aan het hek dat bij het huis uit haar kinderjaren, aan zee, de tuin van de duinen scheidde.

Het plantsoentje lijkt op een naïeve tekening. Eén enkele bank onder één enkele boom. Een zandbak met daaromheen drie stoelen. Een zeer groen, rechthoekig gazon als een tapijt op het vuilroze grind. In de zandbak zit een klein meisje in een wit, wijd uitlopend jurkje waardoor ze op een krokus lijkt aan de voeten van een nogal dikke, in een tijdschrift verdiepte matrone met kubussen te spelen. Op de bank lijkt een oude, ernstige meneer met zijn handen op zijn wollen vest gevouwen op te gaan in het kijken naar de krokus, terwijl een mevrouw van ongeveer dezelfde leeftijd praat met een rode kater, die aan een lijn aan haar voeten ligt opgerold.

Het knarsen van het poortje heeft het onbeweeglijke tafereel niet verstoord.

Solange gaat stilletjes op het uiteinde van de bank zitten.

Op haar beurt volgt ze het werk van het krokuskind in het witte jurkje en het zorgvuldige plaatsen van de kubussen in het zand.

De rode kater is in slaap gevallen, maar de mevrouw vervolgt haar eentonige litanie. Ze vertelt verhalen over verse vis en lauwwarme melk: een wiegeliedje voor katten.

De bladzijden van het tijdschrift worden omgeslagen. De uren verstrijken.

Ze hoeft slechts het decor van het plantsoentje binnen te dringen, er deel van gaan uit te maken, een plaatsje te vinden zonder iets te verstoren, zich over te geven aan de traagheid, aan het heerlijke welbehagen van de leegte, beurtelings een rode kater, een omgeslagen bladzijde, een kubus, wit zand, een knoop van het vest, vuilroze grind en de bevende arm van de dikke matrone te worden.

Zonder inspanning, innerlijk glimlachend, de glimlach van een dame in het blauw, treedt Solange de ledigheid binnen.

Zonder het te beseffen is Solange met het verstrijken van de dagen haar huis anders gaan bewonen.
Ze leeft steeds meer in de keuken. De salon,
waarvan het mooie en smaakvolle haar slecht op haar gemak stellen, heeft ze verlaten. Zelfs de hangmat uit Bahia,
waarin ze zich vaak nestelde om naar muziek te luisteren,
komt haar nogal belachelijk voor. Ze komt trouwens nog
slechts in de salon om de planten voor de glazen deur met
uitzicht op de binnenplaats water te geven of het antwoordapparaat af te luisteren, want dat heeft ze niet durven afzetten vanwege Delphine, die drie maanden bij haar
vader in Madrid verblijft; daarbij loopt ze op haar tenen,
alsof ze zich in een vreemd huis bevindt.

Als ze van haar wandelingen thuiskomt zet Solange
haar tas op de koelkast en stopt ze haar schoenen in een
plastic tas in de groentela; daarna zit ze, in peignoir en

op pantoffels, uren aan de keukentafel, die beladen is met papieren, agenda's, schriften, boeken die ze bezig is te lezen en een serie potloden in een bierglas.

Ze is er dol op te lezen in de lucht van de groentesoep of de warmte van de schapenragout die op het vuur staat te sudderen en de bladzijden doordringt met een vochtige geur.

Als de telefoon gaat opent ze de deur van de salon; behalve wanneer het Delphine is, neemt ze de moeite in een boekje de naam van de spelbederver te noteren, maar zonder echt naar de inhoud van de boodschap te luisteren.

Soms gaat ze op het krukje in de hoek bij het raam achter het cretonnen gordijn zitten om naar de straat, twee verdiepingen lager, te kijken.

De regelmaat van de buurtbewoners, die ze nu leert kennen, vindt ze boeiend. Zo zijn er de uren voor en na schooltijd, als de kinderen als zwaluwen de lucht vullen met hun schelle kreten, de tijdstippen waarop de rolluiken voor de winkels en garages met een hard metalen geluid worden opgehaald en neergelaten, en, aan het einde van de dag, de claxons: kreten en onheilspellende klachten van mensen die op zijn van vermoeidheid.

Al die opwinding daarbeneden vervult Solange met een gemengd gevoel van plezier en medelijden. Vaak smaakt ze met haar voorhoofd tegen het raam gedrukt het geluk te zijn waar ze is, terwijl de keukenwekker tikt met geen ander doel dan te tikken.

Op een dag dat ze na schooltijd, leunend op de balustrade voor het raam, vertederd kijkt naar al die met chocola en jam besmeurde, gulzige mondjes, ziet ze aan de overkant van de straat op dezelfde verdieping als de hare de gestalte van een man die kennelijk door hetzelfde tafereel in beslag wordt genomen. Als ze, getroffen door de ernstige uitdrukking op zijn gezicht, wat beter kijkt, herkent ze de oude man van het plantsoentje. Ze weet niet waarom, maar deze ontdekking ontroert haar. Het is juist dat ze voor het eerst sinds weken iets met iemand deelt, en niet zomaar iets: het heerlijke moment van het vieruurtje van de kinderen, waarvoor alleen zijzelf belangstelling hebben, een beloning waardoor er slechts tijd is voor zoetigheid, een moment dat niets te maken heeft met de voortgang van de wereld en daarvoor in elk geval van geen betekenis is.

De ernstige oude meneer heeft haar ook gezien. Heeft hij haar herkend? Ongetwijfeld, want hij steekt zijn hand op, heel langzaam, alsof hij dit ogenblik wil doen voortduren en tot een plechtigheid wil maken, waarna hij zich terugtrekt.

Als Solange die avond naar bed gaat is ze werkelijk opgetogen. Ze is niet meer de enige mens die van zijn eigen nutteloosheid geniet. Aan de overkant van de straat, van achter een raam dat op het hare lijkt, wordt door een andere getuige, een figurant als zij, met dezelfde gemoedsrust gekeken naar het schouwspel dat de wereld te bieden heeft.

Ze ziet het plantsoentje weer voor zich dat haar haar eerste les in ledigheid en behaaglijke eenvoud heeft gegeven, het plantsoentje dat evengoed met als zonder haar kan bestaan, want of zij nu op de bank van het plantsoen zit of niet, het verandert niets aan het witte krokuskind of het groene lapje gazon in het vuilroze grind.

Solange denkt dat de mevrouw met de rode kater, de ernstige oude meneer en nu zijzelf wel degelijk tot dezelfde mensensoort behoren. Ze zijn alledrie te vervangen. Solange is te vervangen... De uitdrukking doet haar genoegen: ze is in regelrechte tegenspraak met wat Colette zei toen Solange haar op kantoor opbelde om te zeggen dat ze niet meer zou komen. Aan het einde van haar argumenten, ontmoedigd door de halsstarrigheid van haar collega, had Colette bijna geschreeuwd: 'Maar Solange, je móét terugkomen! Je weet heel goed dat je onvervangbaar bent op kantoor!'

Als ze op het punt staat om in de geur van de kruidenthee met acaciahoning, die ze al luisterend naar de radio drinkt, naar bed te gaan, kan Solange niet anders dan ontroerd denken aan Colette, haar beste vriendin, die daarginds, aan de overkant van een grens die Solange met zo'n grote vanzelfsprekendheid is overgestoken dat er van verdienste geen sprake is, is achtergebleven. Ze moet haar schrijven...

Aan deze kant van die grens is de nacht zoet. Ze glijdt hier in een zacht wiegen van het lichaam weg in de slaap.

Het kon niet anders. Jacques overviel haar op het slechtste moment, tussen het uitgaan van de school en het tijdstip van de claxons, toen in de keuken het raam begon te beslaan van de fijne, geurige damp van de soep, het delicate ogenblik waarop Solange tracht in een gewoon schrift de gekrulde bladeren na te tekenen van een buitengewoon fijne, grasachtige plant, die naar het schijnt alleen bij de indianen in Zuid-Amerika te vinden is.

Het dwingende, ongelegen belletje maakt geen twijfel mogelijk: het is Jacques die met een fles champagne in de hand argeloos en kwajongensachtig voor de deur staat, zichtbaar vastbesloten om binnengelaten te worden, ondanks de weinig beminnelijke blik van haar voor wie de champagne bestemd is.

'Ik kan niet zeggen dat jij haast maakt met het opnemen van de telefoon!' zegt Jacques, terwijl hij de salondeur met geweld opengooit. Even blijft hij besluiteloos staan: het halfduister en, vooral, de bedompte sfeer in het vertrek, waarvan de luiken zijn gesloten, verbazen de vrolijke Frans ongetwijfeld.

'Wat is er toch aan de hand?' vraagt hij, terwijl hij de plafondlamp aandoet en de bewoonster aandachtig bekijkt.

Deze keer weifelt Jacques. Door zijn filosofische scherpzinnigheid en zijn analytische geest ziet hij vermoedelijk alles ineens: de peignoir, de pantoffels, de katoenen kousen, het strenge knotje, en vooral iets onbestemds in haar waardoor ze waarschijnlijk niet meer helemaal dezelfde Solange is.

Solange zucht. Heel kalm, en sloffend vanwege de pantoffels, opent ze de luiken, ze zet de ramen op een kier, doet de plafondlamp uit en gaat weloverwogen ontstemd op de bank zitten.

Zonder iets te zeggen laat Jacques zich in de leren fauteuil tegenover de bank vallen. Het is alsof hij zich vastklampt aan zijn fles champagne.

Ze staren elkaar een hele poos aan: hij, die tracht te begrijpen, zij, die geen uitleg wil verschaffen.

De geur van de groentesoep dringt de stilte binnen.

Solange twijfelt er niet aan of het moet moeilijk zijn voor Jacques; daarom begint ze, heel vriendelijk, heel welwillend en met iets van de minzaamheid die haar eigen is geworden: 'Alsjeblieft, vraag me vooral niet of ik ziek ben of iets van dien aard.'

Jacques zet de fles champagne op de gelakte houten salontafel en gaat zonder te reageren twee fluitjes halen.

Hij zoekt zichtbaar naar een houding, tracht zich te vermannen en op zijn best te zijn. De kurk geeft een vreemde knal te horen: de knal van een nat rotje.

Solange kijkt naar het gouden vocht dat in de kristallen fluitjes bruist en naar Jacques, ondanks alles haar lievelingsminnaar, die haar met zijn beteuterde gezicht van een eeuwig kind zou willen vragen het op te geven, daarvan is ze overtuigd, die in lachen zou willen uitbarsten en haar, om er voorgoed een einde aan te maken, achterover op de bank zou willen gooien.

'En hoe maak jij het, mijn beste Jacques?' vervolgt ze, volkomen vermurwd door de eerste slok koele champagne, die haar eraan herinnert dat ze al heel lang geen alcohol meer heeft gedronken.

Aangemoedigd door dat bezittelijk voornaamwoord gaat Jacques naast Solange op de bank zitten.

'Ik mis je', antwoordt hij, terwijl hij veelbetekenend een hand op haar gesloten knieën legt. Solange kijkt naar haar pantoffels en haar katoenen kousen. Ze kan hem toch niet zeggen dat zij hem níét mist?

'Kom, kom!' zegt ze met oprechte spijt. Ze trekt Jacques naar zich toe. Hij legt zijn hoofd tegen haar peignoir van Pyreneese wol en laat zich over zijn haar strijken met een gedweeheid die haar nauwelijks verbaast.

Solange drinkt nog een slokje champagne, zonder op te houden hem te strelen. Wat denkt hij, die arme Jacques, die er zo aan gewend is haar begerenswaardig en begerig te zien? Haarzelf kost het moeite zich alle hartstochten voor te stellen waaraan ze zich samen op deze zelfde bank en in de hangmat uit Bahia hebben overgegeven.

De beelden van hun erotische hoogstandjes die bij haar bovenkomen hebben eensklaps in haar geheugen de sepiabruine kleur van ouderwetse foto's uit een verboden album. Ze vervagen al in de herinnering aan hun schaamteloze heldendaden. Was zij dat? Waren zij dat?

Is Solange weemoedig? Zeker niet. Het bevalt haar wel dat al die hartstochten er zijn geweest – ze is er zelfs in zekere zin trots op – maar de gedachte dat het afgelopen is, dat het eindelijk afgelopen is, bevalt haar nog meer. Ook dat kan ze Jacques niet zeggen.

Terwijl ze, heel erg opgelucht omdat ze niet meer naar hem verlangt en zich niet meer tot hem aangetrokken voelt, met haar vingers door de haardos gaat van de minnaar die met zijn hoofd op haar knieën ligt, sluit Solange haar ogen, alsof alleen al de tederheid van dit gebaar voldoende is om haar te bevredigen. Wat Jacques betreft, ze voelt dat hij overmand is, overwonnen door de onverslaanbare macht van al deze onvoorspelbare tederheid.

Solange is degene die als eerste een einde maakt aan het beeld van dit tafereel, dat zeker niet zal worden vermeld in de annalen van de libertijnse publicaties: 'De soep!' roept ze uit. Ze maakt zich van hem los, neemt Jacques' hoofd als een bal in haar handen en legt het weinig zachtzinnig op de ruwe stof van de bank. Salome heeft waarschijnlijk iets dergelijks gedaan met Johannes de Doper, ze beseft dit heel goed, maar als de soep aanbrandt is haast geboden…

Solange raapt haar grasachtige planten en kleurpotloden bij elkaar en gaat in de weer met de passe-vite.

'Drink gerust de champagne op!' roept ze tegen Jacques, die waarschijnlijk weer bij zinnen is gekomen, want hij staat, tegen de keukendeur geleund, zwijgend naar Solange te kijken.

Ze draait zich naar hem toe. 'Eet je een bord soep mee?' vraagt ze met enige tegenzin, want op het tijdstip waarop ze gewoonlijk bekaf van kantoor thuiskwam, met het vooruitzicht van een etentje in de stad waarbij ze moest schitteren en in de smaak moest vallen, vindt ze niets zo prettig als, zo mogelijk in haar peignoir, in haar eentje van haar soep te genieten en de leerzame film van het volkomen overbodige en nochtans welgevulde komen en gaan van een hele dag in ledigheid vertraagd af te draaien.

Jacques' gezicht spreekt boekdelen: hij is terneergeslagen.

'Nee, dank je wel', zegt hij. In dat 'dank je wel' hoort Solange, die misschien niet helemaal meer dezelfde Solange is maar niets van haar scherpzinnigheid heeft verloren, dat wat erin te horen is: 'Als dat alles is wat je me te bieden hebt, arm kind, nee echt niet, even goede vrienden, maar ik zou toch wel graag hebben dat je me uitlegt wat er aan de hand is. Want eerlijk gezegd ben ik ongerust. En ík, waar ben ík in dat hele gedoe?'

Ze draait haar soep door. De passe-vite knarst. Alles knarst.

Dan neemt Solange een besluit: ze gaat naar Jacques toe, ze gaat heel dicht bij hem staan, bijna tegen hem aan. Misschien denkt hij dat ze hem wil kussen...

'Zie je die grijze haar daar, bij mijn oor?'

Jacques zwijgt stomverbaasd, bijna geschrokken.

'Nu,' vervolgt Solange, 'hij bevalt me, ik hou ervan. Dat is alles, Jacques!'

Na Jacques' vertrek sluit Solange de luiken van de salon en spoelt ze de champagnefluitjes om. Ze dekt de tafel om haar soep te eten. Omdat deze aangebrand is, doet ze dat met minder smaak dan gisteren.

De kunst van het verheimelijken heeft geen geheimen meer voor Solange. Het is zelfs haar favoriete tijdverdrijf geworden. Dankzij het grijze mantelpakje, waardoor ze kan opgaan in de muren, één kan worden met het trottoir, dankzij de bijzondere manier van lopen die ze heeft aangenomen, heel regelmatig, de druk van elke voetstap op het asfalt met een zacht wiegende beweging van haar lichaam afwegend, kan ze zich de weelde veroorloven tussen haar medemensen zo rustig te komen en te gaan alsof ze transparant is.

Soms raken de mensen haar even aan. Dan ademt ze stiekem hun geur in die varieert naargelang het tijdstip van de dag en of ze ongerust of ontspannen zijn. Ze hoort hen ook praten en dringt hun leven binnen via heel kleine bressen in hun intimiteit. Soms, weggedoken in een inrijpoort zoals je in het gras gaat zitten om de duizenden kleine verborgen beestjes waarvan het gonst te voelen vibreren, spitst ze haar oren, kijkt ze spiedend om zich heen en wordt ze de onzichtbare getuige van talloze avonturen die tot dusver aan haar zijn voorbijgegaan. Al die voorvallen, al die verhalen zonder enig belang brengen haar in vervoering. Ze maakt ze tot haar dagelijkse kost, ze geven kleur aan haar bestaan. Wat ze overdag heeft gezien en gehoord houdt haar 's avonds uren bezig. De flarden woorden en beelden die ze hier en daar steelt eindigen in een melodie.

Met wat ze bijvoorbeeld gisteravond heeft gezien en gehoord zou ze een opera kunnen componeren.

Ze ging met haar mandje met groente naar huis en werd één met de muren, toen een bijzonder weinig discreet jong paartje vlak bij haar bleef staan. Ze zaten midden in een twistgesprek.

Hij was log, transpireerde van woede en bleef maar herhalen: 'Dat had je niet mogen doen! Dat had je nooit mogen doen!'

Zij was aan de magere kant, ze had het slachtofferachtige dat sommige vrouwen krijgen bij het besef dat ze een vrouw zijn en jammerde: 'Ik móést wel, Michel! Ik had geen keuze!'

Ze stonden op het trottoir tegenover elkaar. Solange stond tussen hen in tegen de muur gedrukt. Ze had hen kunnen aanraken. Ze had een hand op de dikke, vochtige arm van de man kunnen leggen om hem te kalmeren, of op de benige schouder van de vrouw om haar te helpen.

Solange herinnert zich de afschuwelijke stilte en hoe lang deze duurde. Met dichtgeknepen keel, duidelijk zichtbaar en toch onzichtbaar voor het tweetal, wachtte ze de afloop van de scène af.

Ze zag hoe de platte borst van de vrouw op en neer ging onder de druk van een snik die zich ten slotte ontlaadde in een verscheurende zin: 'Maar ik heb het voor jou gedaan, Michel! Voor jou!'

Solange was zo gespannen dat het haar moeite kostte het niet uit te schreeuwen. Na een nieuwe stilte hief Michel een dikke arm op naar de vrouw alsof hij haar wilde slaan, maar tegen elke verwachting in drukte hij haar stevig tegen zich aan.

Solange herinnert zich de hartstochtelijke, schaamteloze kus, die zo dichtbij was dat ze het vreemde zuiggeluidje van de op elkaar gedrukte lippen kon horen. Daarna verwijderden de man en de vrouw zich omstrengeld, wankelend alsof ze dronken waren. Solange moest haar mandje met groente neerzetten en met knikkende knieën tegen de muur leunen…

Terugdenkend aan deze ontmoeting, die haar veel stof gaf tot moduleren omdat ze bij gebrek aan de eigenlijke sleutel van het drama — dat wat de vrouw had gedaan en niet had mogen doen — eindeloos veel variaties op de interpretatie bedacht, vraagt Solange zich af of dit niet allemaal op een geheimzinnige wijze voor haar was bestemd, als een gunst voor haar bijzondere gave aanwezig te zijn zonder aanwezig te zijn, een gave waarvan ze ook de ongekend wellustige kant ontdekt. Kijken zonder zelf te worden gezien: kan men zo niet van de dingen genieten? Behoren de straat en de stad haar niet veel en veel meer toe nu zij zich verrukkelijk discreet ertoe beperkt toe te zien hoe alles leeft?

Dat geldt overigens vooral voor haar eigen wijk, die ze dacht te bezitten aangezien ze zich er als een veroveraarster gedroeg. Ze was mooi, excentriek, ze praatte graag met haar buren en de winkeliers en maakte er haar persoonlijke domein van, maar ten koste van voortdurende inspanningen waarvan ze nu weet hoe vermoeiend die waren.

Nu ze nergens meer aanspraak op maakt, nu ze als een schaduw en zwijgend voorbijloopt aan diezelfde buren, die zich niet druk om haar maken, is ze zo vrij dat ze zich onoverwinnelijk voelt. De winkeliers roepen niet meer naar haar als ze langskomt. Kortom: ze leeft haar eigen leven, incognito, heerlijk sereen.

Toch, daarstraks, toen haar groenteman haar haar wisselgeld teruggaf, keek hij haar wat langer en met meer aandacht aan. Ze voelde dat hij op het punt stond te zeggen dat ze op die en die leek, of te vragen of ze misschien familie was van een zekere… Maar Solange ging weg en liet hem met open mond en zo uit het veld geslagen staan dat ze er nog om moet lachen terwijl ze de worteltjes schrapt, bij het raam, voor het geval dat de ernstige oude meneer achter het zijne zou verschijnen.

Ze kijkt al naar hem uit sinds de middag dat ze samen getuige zijn geweest van het vieruurtje van de kinderen. Ze zou graag weer samen met hem toekijken, ondergaan in de ledigheid, zoals bij de zandbak in het plantsoentje. Ze zou graag van de ernstige oude meneer willen leren hoe ze haar ogen op de wereld moet vestigen.

Solange schrapt het laatste worteltje. Achter het raam aan de overkant is er niets dat beweegt, maar het licht brandt. Hij is thuis. Een goed teken, vindt ze, dat het licht juist op dit ogenblik is aangegaan.

De telefoon gaat. Solange pakt met tegenzin het speciale boekje en opent de deur van de salon. Het is Jacques. Ze had het wel gedacht.

Ze noteert in het boekje 'Jacques' en doet de deur dicht waarachter hij tracht haar van iets te overtuigen.

Terug in de keuken lacht Solange kirrend als een klein meisje. Er zit geen greintje boosaardigheid in die opgetogen kinderlach. Ze lacht omdat het tot haar doordringt dat Jacques een rivaal heeft gekregen: een ernstige oude meneer die, eenvoudig omdat hij oud is, weet hoe hij tegen het leven moet aankijken.

Solange bekijkt zichzelf in de spiegel. Het grijze haartje bij haar oor groeit. Gezegd moet worden dat ze het vertroetelt. Ze praat ermee, spreekt het liefkozend toe zoals ze met de planten in de salon doet in een poging ze in dit voorgoed verlaten vertrek van het huis in leven te houden.

Ook al zijn er andere witte haren bij gekomen, niet alleen aan haar slapen, ook in haar gitzwarte haardos sinds ze deze niet meer bijkleurt, toch is dit haartje voor haar het voorwerp van een bijzondere tederheid.

Tederheid voelt ze trouwens volop. Voor alle tekenen van verval in haar gezicht en op haar lichaam: voor de minieme rimpeltjes die ze 's ochtends ontdekt, met haar vingertoppen beroert en met haar blik aanmoedigt; voor de kleine bruine vlekken waarmee het weefsel van haar lichte huid bezaaid is als met schaduwbloemen, een ver-

bazingwekkend borduurwerk van de tijd, en die ze
's avonds na de soep met haar beide handen vlak op de keukentafel telt.

Solange glimlacht tegen de spiegel die haar het verhaal
dat ze wil horen zo goed vertelt. Ze glimlacht tegen de
volgende dag, die reeds aanwezig is.

Haar haar heeft de nieuwe wijsheid snel geleerd. Het
rolt zich vanzelf, met de gedweeheid van een hond die zijn
nek uitsteekt naar de halsband van zijn baas, onder de
spelden in een lage knot.

Vandaag trekt ze haar zwarte blouse aan.

Solange pakt haar tas, die op de koelkast staat, en haalt
haar schoenen uit de groentela. Ze is erg tevreden met de
nethandschoenen die ze op de bovenste plank van de
slaapkamerkast heeft ontdekt. Ze zou nooit zonder handschoenen de deur uitgaan. Ze zou best een hoed willen
kopen die bij het grijze mantelpakje past. En in een winkel
die kousen, ondergoed en meubelstoffen verkoopt, heeft
ze een marineblauwe crêpe jurk gezien die haar voor haar
gevoel reeds toebehoort.

De brievenbus is zo goed als leeg. Toch nog een brief.
Solange herkent Colettes handschrift.

Deze brief zal ze lezen. Alle andere liggen naast het antwoordapparaat in de salon op een stapeltje, voor het geval dat...

De kleine ijzeren poort knarst en doet haar denken aan de duinen en de zee. In het plantsoentje zitten slechts twee meisjes met schooltassen op de stoelen.

Het zand in de zandbak is aangeharkt.

Solange neemt midden op de bank plaats, tegenover de meisjes, die in een merkwaardig stilzwijgen elkaar aankijken. Onbeweeglijk, met gebogen hoofd, alsof ze geschokt zijn door een verschrikkelijk bericht, iets verpletterends dat hen verslagen heeft achtergelaten.

Alweer dringt Solange door tot de kern van dit drukkende zwijgen, dat voor zulke jonge meisjes te zwaar is; ze mengt er zich in. Ze neemt er deel aan, alsof het door erin te zijn opgenomen, zelfs zonder dat ze iets weet, zonder dat ze iets begrijpt, minder drukkend zou kunnen worden. De met stickers beplakte schooltassen passen niet bij de mysterieuze pijn waaronder de twee hoofdjes met nog kinderlijke krullen in de kwetsbare, blanke nekjes gebogen gaan.

De ijzeren poort knarst. Er komt iemand: een oude vrouw met een huisdier aan de lijn. Solange herkent de mevrouw met de rode kater.

Nog steeds zonder iets te zeggen staan de meisjes op. Ze schudden zich krachtig, bijna heftig uit, alsof ze hun zielen van een onrechtvaardige, oneerlijke last willen bevrijden; ze stormen op de uitgang af en springen onder het uiten van woeste kreten over het ijzeren hek.

Solange moet denken aan oorlogsverhalen die hiermee overeenkomst vertonen en waarin de soldaten hun loopgraven verlaten en met een aan lichtzinnigheid grenzende moed recht op het vijandelijke vuur aflopen.

Een niet te onderdrukken medelijden maakt zich van haar meester, eerst met de twee meisjes, vervolgens met het mensdom, in elk geval met hen die door iets gedwongen zijn te vechten. Want Solange vecht nu juist níét meer, voor niets en voor niemand, en al helemaal niet voor zichzelf. Solange heeft haar wapens neergelegd, al haar wapens, ze heeft zich bevrijd op het moment dat ze is opgehouden in de pas te lopen, dat ze haar cadans heeft gewijzigd en de druk van elke voetstap op het asfalt in een zacht wiegende beweging is gaan afwegen… Dat wiegen regelt haar leven. Het is het enige ritme waarin ze toe-stemt, omdat het geen eisen stelt, geen dwang inhoudt en in feite natuurlijk is. Die geheime metronoom is de hare in de ledigheid die haar dagen en nachten vult.

Het zien van de meisjes, razend en woest als hun kreten, vervuld van het verlangen om te winnen, te overwinnen, ondanks hun stille lijden – en misschien zelfs dankzij dat lijden – doet haar denken aan haar eigen levensverhaal, waarin ze voortdurend obstakels heeft moeten nemen. Van waar ze nu zit, op deze bank, waar ze tot niets ver-plicht is, beklaagt ze hen.

Ondertussen heeft de mevrouw met de rode kater haar dier op de rechthoek van het groene gazon gezet. Hij snuf-felt aan een grassprietje en begint te niezen. De mevrouw levert met een scherp gevoel voor de psychologie van de kat commentaar bij de indrukken van het dier. Zo nu en dan slaat het dier zijn grote gele ogen dankbaar op naar zijn vrouwtje.

Tussen hen is er geen oorlog, geen obstakel, alleen een lijn, maar zo harmonisch verdeeld dat je je afvraagt wie van de twee de ander aan de lijn houdt. Een liefdesband tussen de nek van een dier en de hand van een oude vrouw die noch de nek noch de hand pijn doet, in zekere zin de volmaakte band tussen twee tot rust gekomen, in vrede levende wezens.

De mevrouw heeft op de bank plaatsgenomen. De rode kater gaat met nog natrillende neusgaten als gevolg van het groene presentje opgerold tegen haar voeten liggen. Ze verwarmen zich in de zon. Twee paar ogen die van gelukzaligheid gesloten zijn.

Solange neemt deze zachte, lauwwarme rust met welbehagen in zich op. Van achter haar wimpers, waardoor alles de kleuren van de regenboog aanneemt, volgt ze de regelmatige groeven in het aangeharkte witte zand. Ze brengen haar ver terug in de tijd, naar de tafel in de eetkamer van haar ouderlijke huis, als ze op dagen dat er aardappelpuree werd gegeten met haar vork voren in het bord trok voordat de ramp van de donkere vleessaus zich voltrok en alles besmeurde, ondanks het putje dat daarvoor in het midden van het smetteloze landschap was gegraven. Elke keer weer was Solange geschokt. Elke keer weer zei haar moeder dat het haar speet. Daarna kwam alles weer goed, dankzij de onvergelijkelijke smaak van de geslaagde combinatie en het vooruitzicht dat ze opnieuw kon beginnen met een schoon bord, waarin ze hetzelfde landschap, dezelfde smetteloze voren in de gele puree zou trekken…

Solange schrikt op: de rode kater is op haar schoot gesprongen.

'Zo te zien mag Peentje u.'

De oude vrouw zegt het met dezelfde zangerige stem die ze voor het dier heeft. De kater draait verscheidene malen rond, alsof hij een hol graaft in het kussen van haar knieën, en rolt zich op, met zijn kop tegen Solanges buik.

'Het komt ook door uw rok. Op wollen stof is hij bijzonder dol.'

Solange legt haar handen op de harige beddenkruik. De kleine bruine vlekken, door de tijd geborduurde schaduwbloemen, passen heel mooi bij Peentjes rode vacht. Ze telt ze nogmaals. De zangerige stem begint aan haar lange verhaal. Solange luistert. Ook stelt ze vragen als de litanie afzwakt.

Zo verneemt ze dat de mevrouw met de rode kater in dezelfde wijk woont als zij. Ze is er geboren. Ze is er getrouwd. Ze zal er sterven. Fernand heeft haar zes jaar geleden verlaten: 'Zes jaar al! Niet te geloven, Peentje!' Ze gaf er de voorkeur aan haar te grote en lege appartement op te geven en met haar beste meubels te verhuizen naar het bejaardentehuis Avondrust. Ze voelt er zich minder alleen. Maar dat belet haar niet van tijd tot tijd voor de verandering naar het plantsoentje te komen. Het is Peentjes, in feite hun beider plantsoentje, 'nietwaar, Peentje?' Peentje is natuurlijk een vreemde naam voor een kater, ze had liever de naam van een keizer gezien, Caesar of Nero, maar het is de bijnaam die hij gekregen heeft van de kleine Emilie, het dochtertje van de directrice van Avondrust, dus…

Op Avondrust is het leven aangenaam, ja hoor. Er is een mooie tuin. Dit jaar zijn de begonia's prachtig. Lucien – Lucien, dat is de tuinman – heeft zichzelf overtroffen. Mevrouw Choiseul – mevrouw Choiseul, dat is de directrice – is erg vriendelijk. Elke laatste donderdag van de maand krijgen ze om vier uur een concert bij de lauwwarme chocolademelk en toastjes met boter. Peentje en zij zouden dat voor geen geld willen missen, 'nietwaar, Peentje?' Klassieke muziek, dat is het. Vooral Chopin. Ja, ja, Chopin horen ze het liefst.

'Mevrouw Choiseul? Ze houdt 's morgens spreekuur. U kunt een afspraak maken. Is het voor iemand van uw familie? Nu ja, u hoeft maar te bellen. Als u wilt kan ik u mijn kamer laten zien. Ze ziet uit op de tuin, precies op de plek waar Lucien de begonia's heeft geplant. Iedereen kan op Avondrust terecht.'

Solange voelt de vochtige neus van de kater tegen haar buik, ze hoort de zangerige stem in haar oren. De begonia's van Lucien, de kleine Emilie, Chopin met lauwwarme chocolademelk en toastjes met boter vormen een zacht oorkussen.

Op de bank van het plantsoentje dromen een kat en twee vrouwen van Avondrust.

Een van de vrouwen is oud.

Het is moeilijk te zeggen wie van de drie het hardste spint.

Het toastje knispert, het wekt de indruk dat het zich verzet. En dan, alsof het zichzelf verloochent, smelt het eensklaps in de zachte omstrengeling van de vochtige lippen.

Deze intieme kus komt precies overeen met de inspanning die Solange bereid is in haar leven te leveren. Ze houdt van het knisperen en het vreedzame toegeven van het toastje. Met brood moet je happen, een weerstand breken.

Ze wil niet meer in brood happen. Ze wil helemaal niet meer happen. Knabbelen is haar nieuwe manier om zonder iets te doen, zonder iets te presteren van de dingen en het leven, te genieten.

De toastjes met boter, 's ochtends, hebben nog een ander voordeel: het vermogen het dwalen van haar gedachten, haar overpeinzingen te vergemakkelijken. Want 's morgens tiranniseert Solange zichzelf niet meer, ze geeft zich niet meer, gewapend met de stofdoeken van het geweten, over aan haar mentale schoonmaak. Ze verplaatst zich in de geest, ze doolt rond, met een heel bijzondere voorkeur voor haar kinderjaren, die steeds vaker opduiken in de vorm van zulke verrukkelijke herinneringen dat ze er telkens weer, ontroerd en gefascineerd, met volle teugen van geniet.

In bed, met het ontbijtblad op haar knieën, begraven onder een overdaad aan sjaals, wollen kledingstukken en dekbedden – want ze is kouwelijk geworden – bewandelt ze de paden van het geheugen. In de humus van het verleden steken de herinneringen de kop op als champignons die zich moeiteloos laten plukken.

Het toastje knispert. Het wordt het zand dat in de damp van de thee de naar jam of honing geurende tijd meet.

Vandaag heeft Solange drie nog ongeopende brieven van Colette op het ontbijtblad gelegd. Dat is ze wel verplicht aan haar vriendin.

De brieven, aandachtig in volgorde van binnenkomst gelezen, geven een duidelijk beeld van de verwarring waarin de briefschrijfster verkeert. Colette gaat van smeekbeden achtereenvolgens over op ergernis en bedroefdheid. Haar verwarring is oprecht. De vriendin lijdt er zichtbaar onder dat ze het niet begrijpt. Maar kan ze het begrijpen? Zou ze begrijpen wat Solange zelf niet kan verklaren? Hoe zou ze het zachte wiegen, haar nieuwe ritme, tot uitdrukking moeten brengen?

Solange staat op, trekt haar pantoffels en haar peignoir aan en brengt heel peinzend het blad met de drie brieven naar de keuken.

Het is elf uur, de zon staat al hoog aan de hemel. De planten in de salon hebben recht op hun rantsoen licht, zoals Colette recht heeft op een antwoord, zegt Solange bij zichzelf, terwijl ze de luiken aan de kant van de binnenplaats opent.

Solange denkt na, staande bij haar secretaire, die bedekt is met een dun laagje stof dat glinstert in het zonlicht. Bovenaan links, op de bovenste plank, ligt het fotoalbum nog steeds op zijn plaats. Het is van Delphine. Ze is er op haar dertiende verjaardag aan begonnen. Solange herinnert het zich omdat die verjaardag in een drama is geëindigd. Voor het eerst in haar gelukkige kinderjaren heeft Delphine die dag gezien hoe haar ouders elkaar verscheurden. Het eerste bedrog van haar vader. De eerste aanval van jaloezie van haar moeder. Delphine sloot zich op in haar kamer met het nauwelijks van het cadeaupapier ontdane album. Vervolgens plakte ze de foto's uit haar kindertijd in het boek, waarschijnlijk als om het lot te bezweren en de beelden van een nu bedreigd geluk voor altijd vast te leggen.

Solange bladert het album met de opeenvolgende glimlachende kleine Delphines door. Het album stopt bij de glimlach van een dertienjarige. Daarna houdt het op. Geen beelden meer. Ze staat op het punt het album dicht te doen, als haar blik op de laatste pagina valt: een eenzame foto, die als een orgelpunt het onvoltooide verhaal afsluit. Een foto van Delphines grootmoeder, genomen een paar maanden voor haar dood. De moeder van Solange. Ze draagt… Ja, dat is het, ze draagt het grijze mantelpakje…

Solange strijkt peinzend met een vinger over het stof op de secretaire.

'U hebt geluk gehad… Er zijn net twee kamers tegelijk vrijgekomen. Ze zijn vanaf volgende week beschikbaar. Een ervan is gemeubileerd, mocht dat u interesseren. Weet u, met de bewoners die we hier hebben kan de situatie van de ene dag op de andere veranderen.'

Mevrouw Choiseul is zonder ironie. Ze spreekt met een oprechte sympathie, maar ook met de realiteitszin van een beheerster die graag heeft dat de zaken lopen. Solange glimlacht begripvol. Ze luistert geduldig naar de uitleg van de directrice van Avondrust en stemt met alles in.

Mevrouw Choiseul haalt een formulier tevoorschijn: 'Het is dus voor…'

Solange, hoewel op deze vraag voorbereid, is even van

haar stuk gebracht. Ze slaat haar ogen neer. Haar in handschoenen gestoken handen verfrommelen de plooien van haar grijze rok. Ze ziet opnieuw de foto van haar moeder in Delphines album voor zich.

'Het… het is voor mijn moeder', antwoordt ze ten slotte.

Ondanks alles wekt deze leugen met voorbedachten rade op haar niet de indruk van bedrog, alsof er iets waars schuilt in haar verzinsel, misschien alleen maar door het mantelpakje, het grijze mantelpakje.

Als ze even later het kantoor van mevrouw Choiseul verlaat en aan alle formaliteiten van de administratie heeft voldaan aangezien men bij wijze van uitzondering accepteert dat de dochter in afwachting van de komst van haar moeder een paar uur per week de kamer bewoont, heeft Solange haar aangename rust hervonden en gaat ze als eerste naar de tuin, om te zien of Luciens begonia's even prachtig zijn als de mevrouw met de rode kater beweerde. Ze zijn het.

Het is een huis in een mooie oude stijl. Het waakt over de rust van de plek. Solange maakt een rondgang en bewondert de netheid van de grindpaden, de stoelen die keurig langs een lijnrecht gazon op een rij staan. Achter-in, bij een serre waarvan de schuiframen op de zon zijn geopend, staan enkele rotan ligstoelen in een halve boog onder een kastanjeboom. In gedachten kiest Solange er een uit, waarna ze Avondrust verlaat met het heerlijke ge-voel dat ze er wordt verwacht, niet pas nu mevrouw Choiseul haar naam, haar eensklaps uit haar kinderjaren opgegraven meisjesnaam in het register heeft genoteerd, maar sinds lange tijd, sinds altijd.

Bij de inrijpoort staat een klein blond meisje op een dropje zuigend naar het verkeer te kijken. Solange groet haar. Zij die slechts de kleine Emilie kan zijn, verwacht haar ook…

Het is hét moment voor de aankoop van de marine-blauwe crêpe jurk, die al van haar is…

'Je zou haast zeggen dat ze voor u is gemaakt!'

De verkoopster van de boetiek strikt de ceintuur om haar middel.

'Een echt buitenkansje… Crêpe van deze kwaliteit is tegenwoordig niet meer te krijgen. Hij hoeft alleen maar korter te worden gemaakt om jonger te staan en…'

'De lengte is uitstekend. Er hoeft niets aan te worden veranderd. Ik hou haar trouwens aan!'

De vastberadenheid van de klant verbaast haar zo te zien, maar andermans verbazing is niet meer de grootste zorg van Solange, die nog slechts één opgave heeft: haar eigen voorkeuren volgen, zonder zich druk te maken, zoals vroeger, toen ze onder het kleinste besluit in het dagelijkse leven gebukt ging. Wat Solange in de spiegel van Solange ziet is overtuigend. Ze is inderdaad voor de jurk gekomen. Dat is zo waar dat ze tegen zichzelf glimlacht, met een iets gebogen hoofd, als wilde ze reeds genieten van het regelmatige ritselen van de crêpe tegen haar lichte katoenen kousen.

Als ze naar huis gaat, minder opvallend dan ooit in de razernij van de stad, hoort Solange zichzelf ritselen. Het ritselen, het nauwelijks hoorbare ritselen van de stof langs de dingen heeft ze eindelijk. Na de maliënkolders, de wapenrusting en de banieren, na de oude uitrusting van de verleidelijke, krijgslustige vrouw zweeft ze dankzij de luchtige lichtheid van de marineblauwe crêpe.

Zo komt ze thuis aan. Op het moment dat ze door de inrijpoort naar binnen gaat, kijkt ze naar het huis aan de overkant. Hij staat op zijn post bij het raam. Solange heeft geen spijt van haar aankoop.

Hij ook niet, want hij steekt zijn hand op alvorens in de schaduw te verdwijnen.

Uit haar slaapkamer heeft ze twee kussens, een sjaal en het gebloemde dekbed meegenomen. Ze heeft de koude bank in de salon in een bed veranderd en de lamp op de secretaire aangestoken. Ze pakt het boekje met de lange lijst met telefoontjes en neemt een potlood in haar hand; ze is klaar. Het is de dag van de moed. De avond van de tegemoetkoming.

Daarna begint de reeks monologen van een tegelijk vertrouwd en duister stemmentheater. Het antwoordapparaat spoelt de berichten af als evenveel verwijten, want een antwoordapparaat wil dat je antwoordt, en zij heeft dat niet gedaan. Op het smeekbedenapparaat doet men dus voorstellen, om zich vervolgens te verbazen, te razen, te beramen, zich te verontrusten, witheet te worden door de beproeving van het stilzwijgen waaraan Solange iedereen al weken onderwerpt.

Zelf luistert ze ernaar zoals ze naar de nieuwsberichten luistert, nogal speciale nieuwsberichten, want ze betreffen haarzelf – of zouden dat moeten doen – op een bijzondere, een heel bijzondere manier.

Door elke stem komen stukken, lagen van haar naar boven die haar tot een inspanning verplichten. Alsof haar geheugen in duizenden scherven met een vlijmscherpe rand uit elkaar is geklapt. Door de gezichten die de stemmen oproepen duikt ze met ingehouden adem, ademloos, onder in de herinnering, ze doen Solange denken aan wat zij was en maken haar duidelijk wat ze niet meer is. Het aantal weken telt niet. Dat is niet bepalend. De wereld waaruit de stemmen afkomstig zijn is gewoon van een andere soort, weliswaar verstaanbaar, maar onontvankelijk. Die wereld is geen verleden, geen voorbije tijd. Ze bevindt zich elders, is iets anders.

En alles is er een kwestie van tempo, van ritme. Er is zoveel opwinding, zoveel aanspraak op iets in het geluid van al die stemmen, die een en al gebiedende wijs zijn. Kunnen de oren die beroerd worden door het ritselen van crêpestof het ritme, de intensiteit van een dergelijke energie verdragen? De stemmen hebben een vastberadenheid, een onstuimigheid gemeen die Solange versteld doet staan. Ze spreken allemaal over iets dat gedaan moet worden, over plannen die 'onverwijld', 'tot elke prijs' moeten worden uitgevoerd. Deze dwang, deze bezetenheid is onthutsend. Wat zouden die stemmen denken als ze wisten dat, nu Solanges verlangen naar de marineblauwe crêpe jurk is vervuld, haar voornaamste plan erin bestaat met zorg een linzensoep met ossenstaart te bereiden en het zich vertrouwd maken met kamer 25 op Avondrust, de gemeubileerde kamer met uitzicht op de door Lucien geplante begonia's, haar enige programma voor de komende dagen is? Overigens een overbodige luxe, deze kamer 25, want Solange voelt zich uitstekend in haar eigen huis, een luxe waardoor ze van tijd tot tijd met anderen de onuitputtelijke verrukking van de ledigheid kan delen, zwevend in deze luchtbel aan de zelfkant van en buiten de wereld en haar geraas.

Onder de berichten een hele reeks voorstellen, alle mogelijke verzetjes: een lunch van 'meisjes onder elkaar' met Gisèle, een jacht op opruimingskoopjes met Corinne, een afspraak met Philippe, 'vanavond om acht uur, zonder mankeren', in het theater Max-Linder, voor de eerste vertoning van een film, met Charles voor de expositie van emailwerk in de Rue Bonaparte, de trouwdag van de Burniers, het afspraakje 'in alle eer en deugd' met Marc, een tweede koopjesjacht, deze keer met Geneviève, de nieuwe, niet te missen opvoering van een auteur wiens naam ze niet onthoudt, samen met Paul. 'Niet te missen': een uitdrukking waaraan ze een hekel heeft, maar die ze zelf ook gebruikte, de formulering van een eis bij uitnemendheid, het 'geef acht' en 'presenteer het geweer' afkomstig van een of ander hoog en op consensus berustend bevel. 'Wat doe jij van de zomer, schat?' Voorstellen voor een weekend aan zee met Hemelvaart en in de bergen met Pinksteren, of andersom. Al die uitnodigingen waaraan Solange zich beslist niet zou hebben durven onttrekken (ze zou er niet eens aan hebben durven denken) uit macht der gewoonte, als een vanzelfsprekende reactie, om in de pas te blijven, en nu voelt ze zich achteraf uitgeput bij de gedachte alleen al dat ze er natuurlijk voor zou zijn gezwicht.

Ze wikkelt kouwelijk de sjaal om zich heen en duikt diep weg in de kussens. Maar in dat hele gedrang moet ze zeggen dat Jacques – Jacques, wiens stem bij elk bericht meer verstikt klinkt – haar in hoge mate weerloos maakt. Door hem beseft ze hoe groot de afstand tussen haar en die stem is. Hij kan haar niet meer ontroeren. Zijn smeekbeden en dreigementen laten haar verbazingwekkend koud. Jacques heeft voor haar niet meer bekoring dan de champagne waarmee hij haar op een avond gedwongen heeft de deur voor hem te openen. Hij bruist niet meer. Jammer voor hem, en natuurlijk nogal onrechtvaardig, ze erkent het, maar Jacques' stem op het antwoordapparaat gaat voor Solange samen met de aangebrande smaak die haar soep heeft bedorven. Jacques ruikt aangebrand. Hij ís aangebrand. Onvermijdelijk. Is dat omdat hij van haar minnaars de trouwste en meest begaafde is? Hoe dan ook, de vermoeidheid die ze voelt als ze nu naar zijn stem luistert, is heel groot en niet te miskennen.

Bij het achttiende telefoontje van haar minnaar, gelukkig afgewisseld door enkele prettigere verzoeken, besluit Solange Jacques een brief te schrijven die voorgoed een einde maakt aan zijn bestormingen en toch zijn mannelijke eer ontziet, want die wil ze geen deuk toebrengen, een brief te vergelijken met haar brief aan Colette, haar vriendin, die in het elders en het anders op een laag pitje is gezet. Voor de anderen besluit ze een standaardbrief op te stellen waarin ze zegt dat ze een lange reis gaat ondernemen, want het lijkt haar niet wenselijk het aantal berichten op het antwoordapparaat te laten oplopen omdat ze beseft dat ze natuurlijk een nog kwetsbaar geluidsevenwicht verstoren: dat van het ritselen van de crêpe langs haar katoenen kousen...

Solange wankelt van vermoeidheid als ze met haar dekbed en kussens in haar armen de salon verlaat, tamelijk aangeslagen door al die storingen, die eerder afschuwelijk zijn dan dat ze haar voldoening schenken, aangezien ze er vandaag een gevoel van dwang, van onderworpenheid aan overhoudt. Ze heeft behoefte aan de rust van haar slaapkamer, waar continu de geur van eau de cologne en kruidenthee hangt, behoefte ook aan muziek die haar door de schelle geluiden verhitte oren tot rust brengt. Ze heeft geluk: de radio brengt een nocturne van Chopin waaraan ze zich kan overgeven met de troostende gedachte dat ze deze misschien binnenkort in gezelschap van de mevrouw met de rode kater op Avondrust kan beluisteren terwijl ze een koekje of een in chocolademelk gesopt toastje in haar mond laat smelten.

Ook deze nacht krijgt ze bezoek van de dame in het blauw. Steeds dezelfde droom: de dame in het blauw en Solange dribbelen samen keuvelend te midden van de menigte. Ze praten zo vertrouwelijk en met een zo grote verstandhouding dat ze elkaars zinnen aanvullen. Hun harten kloppen op hetzelfde ritme. Op sommige ogenblikken zijn ook hun gezichten niet van elkaar te onderscheiden, ze krijgen dezelfde uitdrukking, zoals ze ook elkaars woorden zonder hapering overnemen.

Ze vertellen over de zacht wiegende beweging, de nieuwe cadans. Soms geven ze elkaar de hand en brengen hun nethandschoenen een zacht schurend geluid voort, het geluid van zand dat tussen twee handpalmen wordt gewreven en dat net als het ochtendtoastje korrel na korrel de tijd aangeeft.

Over het algemeen is het dat geluid waardoor Solange wordt gewekt. Dan staat ze op en gaat ze op de po zitten. Ze laat haar plas zo langzaam mogelijk tegen het email klateren, met gesloten ogen, om de slaap niet te verdrijven, hem in de damp van de lauwwarme urine vast te houden, waarna ze, alweer half ingeslapen, gaat liggen, tevreden, heel tevreden met haar po, het sinds kort vertrouwde gebruiksvoorwerp van haar nachten, al haar nachten, waarvan ze zichzelf verwijt dat ze het zo laat heeft ontdekt, na het zo vroeg te hebben gekend, want ook dat maakt nu deel uit van het behaaglijke gevoel dat erin bestaat zich geen geweld aan te doen zoals vroeger, als ze zich aan de slaap ontworstelde en zich tegen de meubels stootte om naar de badkamer te gaan waar ze, klaarwakker, al bang was voor de volgende dag: het grote geschut, het televisiejournaal van acht uur 's avonds met de regisseur, het omslag van *Paris Match* voor de filmster en het aantal verkochte toegangsbewijzen, vooral het aantal verkochte toegangsbewijzen, de beste manier om de slaap niet meer te vatten.

Maar nu, o wonder, is ze niet bang meer voor de dag van morgen…

O p Avondrust leert Solange het genoegen van het middagdutje kennen. Een of twee middagen per week, in haar rotan ligstoel of goed ingestopt onder het dekbed van kamer 25, gewiegd door het getjilp van de vogels die in de kastanjeboom zitten te smoezen, valt ze met gevouwen handen en een boek open op haar knieën in slaap. Het volkomen nieuwe gemak waarmee ze zich aan de slaap overgeeft brengt haar in vervoering, want ze herinnert zich dat ze altijd slechts met de grootste moeite de slaap kon vinden. Over het algemeen moest ze heel slim en sluw te werk gaan om de nacht, na een verzet waarin Solange zich bij het eerste ochtendgloren uitgeput gewonnen gaf, te doen capituleren. Nu wordt de gelukzaligheid van de slaap haar aangeboden zonder dat ze zelfs strijd hoeft te leveren, niet alleen 's avonds, maar op elk gewenst uur van de dag.

Zodra ze haar ogen sluit beginnen haar gedachten, gevolgd door haar lichaam, verlicht, bevrijd van de druk van de gewone kwellingen, heel natuurlijk naar een punt van immateriële zwaarte af te glijden omdat ze door geen enkel beeld van buitenaf worden verstoord. Een natuurlijke luiheid maakt zich van alles, van het leven én van de materie, meester, de slaap neemt haar op in een stroom lauwwarme stroop. Ze geeft zichzelf een zetje en hop, ze komt weer boven, ze ontwaakt zonder de minste schrik en is weer ter beschikking.

'Op het volgende concert hebben we een harpiste.'

Solange slaat haar ogen op… De rode kater, die zich om haar hals heeft gerold, lijkt op een grote bontsjaal.

'Peentje en ik houden erg van harpmuziek.'

Solange komt overeind in haar fauteuil, heel tevreden, want de litanie neemt een aanvang: eerst de harpmuziek, daarna iets anders, dan wéér iets anders. De litanie vereist evenmin inspanning als de slaap. Het is voldoende je te laten meevoeren door de aaneengeregen zinnen.

De mevrouw met de rode kater weet heel handig gebruik te maken van gemeenplaatsen. Aan geen van haar opmerkingen zijn consequenties verbonden. Sommige mensen zouden zich bij het aanhoren ervan misschien vervelen en onmiddellijk geïrriteerd raken. Solange daarentegen ontleent een aangenaam gevoel van volheid aan de ontdekking van de volkomen afwezigheid van een bedoeling achter haar woorden. Ze voelt goed dat de mevrouw met de rode kater niet praat om met haar woorden iets te bereiken. Bijval van iemand anders is niet nodig. Ze praat om te praten, om het genoegen van de woorden die op elkaar volgen of eerder aan elkaar worden gebreid. Eén zelfstandig naamwoord rechts, één werkwoord averechts. Aan het breiwerk van de zinnen ontbreekt nog slechts het tikken van de pennen. Haar ontspannen gepraat fascineert Solange, die weet dat zijzelf nog behept is met een betreurenswaardige ernst waar het om woorden gaat. De mevrouw met de rode kater weet niet dat ze Solange de meest vorstelijke vorm van spreken bijbrengt, namelijk praten om niets te zeggen. Solange oefent er zich elke dag meer in. Ook haar overkomt het dat ze zich overgeeft aan een eentonige litanie waarnaar de mevrouw met de rode kater met een afwezig gezicht, maar met de welwillendheid van iemand die weet hoe onbeduidend praten is, luistert.

Door de kunst van de eentonige litanie te ontwikkelen

heeft Solange overigens heel toevallig het geheim van het bazelen ontdekt.

Anders dan de litanie, die wil opsommen, kan ze door te bazelen eindeloos op eenzelfde gedachte terugvallen; het meest ontspannend is het deze steeds weer met dezelfde woorden tot uitdrukking te brengen. Uiteindelijk is dat tamelijk rustgevend. Sinds ze deze intellectuele gymnastiek meester is, ontwikkelt Solange ook de kunst van de kernspreuken waardoor ze op den duur afstand kan doen van haar eigen woorden, met het dubbele voordeel dat ze minder energie nodig heeft en minder hoeft open te staan.

Bazelen kun je ook in je eentje. Solange ontzegt zich dit genoegen niet als ze haar grasachtige planten zit na te tekenen of van achter het cretonnen gordijn voor het keukenraam naar de straat kijkt…

Kortom: de mevrouw met de rode kater breit twee toeren harpmuziek, twee toeren begonia's en vijf toeren kleine Emilie 'die het zo goed doet op school, de school in de Rue Blanche, de beste gemeentelijke school van de wijk'. Het breiwerk vordert snel met het onderwijs en het gebrek aan roeping bij het onderwijzend personeel. Solange bewondert opnieuw de virtuositeit in onbeduidendheid van haar vriendin. Ze leert.

'Komt uw moeder binnenkort?' vraagt de mevrouw met de rode kater om een pauze in te lassen, want het eentonige verhaal heeft soms behoefte aan een vraag, vaak formeel, die de machine weer op gang brengt en de gelegenheid biedt om op adem te komen. Solange maakt hiervan gebruik om aan haar eigen breiwerk te beginnen, een breiwerk van fictieve wol en in de kleuren van bedenksels. Ja, ja, haar moeder komt, maar later… Zíj bereidt in zekere zin haar plekje voor… Mevrouw Choiseul heeft daar geen bezwaar tegen zolang er maar wordt betaald… Als je van je moeder houdt, is het normaal dat je er zeker van wilt zijn dat het rusthuis waar ze naartoe gaat netjes, gezellig, voorbeeldig en de avond van een welgevuld leven waardig is… Ja, ja, haar moeder is nog op reis… Het zal haar zeker bevallen op kamer 25, die zo mooi is gemeubileerd, afgezien nog van de smaakvolle gordijnen, de overgordijnen, het dekbed waarin ze zich zo graag wikkelt voor haar middagdutje, het grote raam dat openstaat op het getjilp van de vogels…

De mevrouw met de rode kater knikt, maar ze luistert

niet meer. Ze let op de riem van het dier, dat behaaglijk zijn flanken langs de poot van de rotan fauteuil schurkt. Solange praat in de leegte, zonder zich al te zeer af te vragen wat ze zegt, ze wordt gewiegd door haar eigen gebabbel, waarvoor niemand belangstelling heeft, zelfs zijzelf niet. Ook dat is rustgevend.

Soms komt de kleine Emilie een praatje maken met Solange. Dat is heel anders dan met de mevrouw met de rode kater. Door de scherpzinnigheid van het kind moet ze opletten. Bij haar hebben de woorden een betekenis, om niet te zeggen dat ze een en al betekenis zijn. Ze moet eerlijk en duidelijk antwoorden, wat niet altijd gemakkelijk is, vooral als de kleine Emilie Solange ondervraagt over haar leeftijd en dat soort zaken. Aanvankelijk heeft Solange zich eruit gered met grapjes waarvan het kind gauw genoeg kreeg. Als nu de vragen Solange niet goed uitkomen, doet ze alsof ze ze niet hoort. De kleine Emilie heeft ten slotte berust in deze handicap, die op Avondrust dient te worden gerespecteerd, maar je voelt dat ze niet overtuigd is. Afgezien daarvan is het een enig kind, waarvoor Solange heel wat meer belangstelling heeft dan voor haar eigen dochter toen deze zo oud was. Ze tekenen samen de grasachtige planten van de indianen in Zuid-Amerika na en overhoren elkaar de aardrijkskundelessen van de basisschool in de Rue Blanche, de beste gemeentelijke school van de wijk.

Solange kijkt om. Om haar heen onder de kastanjeboom vol gekwetter maakt niemand zich druk om wat er wordt gezegd of wat er gebeurt, zelfs niet als een verpleegster in een witte jas met medicijnen en aansporingen met een weinig passend enthousiasme de gang van zaken komt verstoren.

De oude bewoners, die Solange steeds meer als haar familie beschouwt, houden er ook een bijzondere manier op na om aanwezig te zijn zonder er te zijn. Ze participeren, maar op afstand, alsof de dingen hen bereiken door een watten deken die de bewegingen verzacht en de geluiden dempt. Ondanks de gebreken van de ouderdom, die Solange nog niet ondervindt maar waarvan ze weet dat ze zullen komen, heeft in hun ernstige en versleten trekken de sereniteit de overhand. Ze zijn vervuld van een rust, een instemmend afwachten waarbij de dood, eerder vriendschappelijk dan vijandig, hen geruststelt in plaats van hen af te schrikken.

Soms gaat Solange helemaal op in het bekijken van een gezicht of een hand. Ze ontwaart er de kwellingen van een heel leven van strijd in. Ze ziet er de duizend oude wonden in van spiezen, pijlen en zelfs dolken. Maar de wonden zijn genezen. Ze bloeden niet meer. De huid heeft de glinstering, de glans van sommige zeldzame perkamentrollen.

De bewoners van Avondrust genezen vredig van de verwondingen uit het verleden.

Natuurlijk heeft Solanges verleden nog niet het patina van een perkamentrol. Het ligt nog niet ver genoeg achter haar om er de glans van te verdienen, maar het is toch haar verleden. Het is voorbij, daarvan is ze zo overtuigd dat ook zij het heden ervaart als een geschenk, een gunst, de gunst van de stille overpeinzing.

Traagheid maakt voortaan deel uit van Solanges lichaam. Dat geldt voor haar manier van lopen: de kleine pasjes blijven de eenheid van haar maat, maar ook van haar gebaren, alsof ze zich bewust is van het gewicht der dingen. Haar armen, die ze uitsteekt naar een gewicht, haar benen, die ze doorbuigt naar een gewicht. Alles heeft een gewicht. Dat betekent overigens niet dat het zwaar is. Het is een andere manier van leven met de dingen die wegen. De schouders, waarop het leven gewoonlijk de last van onzekerheid en ongerustheid legt, zijn uit zichzelf lichtelijk doorgebogen om de last beter op zich te kunnen nemen, een last die overigens uiterst licht is door de ledigheid van haar bestaan.

Solange geniet dus van de berekende traagheid van haar bewegingen en de concentratie die deze vergt. Ze vindt zelfs dat deze traagheid haar tot een minimum beperkte daden legitimeert. Ze zegt bijvoorbeeld bij zichzelf dat de tijd die ze doorbrengt met het pureren van groenten – wortelen, knolletjes, prei en aardappelen – zijn rechtvaardiging vindt in de smaak en de onvergelijkelijke stevigheid van haar soep. Ze denkt dat de begonia's van Lucien ook steeds weliger tieren omdat zij, leunend op de balustrade van kamer 25, uren toekijkt hoe ze groeien en ontluiken. In dat verband, als ze zo de tijd rekt en deelneemt aan de apotheose van de begonia's, kan ze zich niet beletten te denken aan Delphine, haar bloeiende dochter, die zo snel en in zo'n maalstroom is opgegroeid dat Solange zich nu afvraagt waar en wanneer ze deel heeft gehad in haar volwassen worden. Is ze ooit blijven staan om haar kind te zien opgroeien? Daarvoor moest ze haar werk opgeven of haar tempo afremmen en toekijken, op gevaar af haar grote voorsprong te verliezen, haar gemiddelde snelheid, haar snelheid in het behalen van successen op haar werk, in de liefde, in alles, af te remmen.

Maar voor Solange is er niet alleen het trage tempo, de concentratie die dit vergt, er is ook, nogmaals, het gevoel van levensvervulling nu ze geen verlangens en behoeften meer heeft, de gelukzalige toestand niet meer te worden gestoord, door niets of niemand – zelfs niet door zichzelf, als ze bijvoorbeeld in bed een hand over haar buik of haar volkomen ingesluimerde borsten laat gaan – en het onvergelijkelijke gevoel van een lichaam dat zijn vervulling in zichzelf vindt en waarvan geen krachttoeren of prestaties worden gevraagd. Haar naaktheid roept geen enkel opwindend beeld meer op. Ze beperkt zich ertoe het te beoordelen zoals ze zou doen met een anatomische plaat in een medisch handboek. Voor het eerst in haar leven heeft ze eindelijk de mogelijkheid zichzelf objectief te zien, de manier te bewonderen waarop haar vlees aan haar beendergestel is gehecht, waarop een gewricht beweegt, een spier is bevestigd, vol belangstelling voor het idee dat dat alles zienderogen zal veranderen en verslijten.

Aan zichzelf stelt ze geen andere eis meer dan toe te kijken hoe ze leeft zoals ze nu is. Als ze in de spiegel in de badkamer kijkt om haar knot in haar nek te bevestigen, stelt ze zich geen vragen meer en wordt ze niet meer ongeduldig. Ze volgt niet meer het gestage toenemen van het aantal grijze haren. Alsof ze anders naar zichzelf kijkt, zonder zichzelf werkelijk te zien, of tevreden is met dat wat ze ziet. Het planten van een nieuwe begonia door Lucien boezemt haar meer belangstelling in dan een nieuwe rimpel in haar hals of bij haar mond. Ze telt niet langer de bruine bloemen op de rug van haar handen. Solange leert het af op haar uiterlijk te letten. Dat is haar laatste ontdekking, haar nieuwe vrijheid.

Wie zou hebben kunnen denken dat ze er op een dag van zou genieten niet meer de bijzondere aandacht te hebben van de mannen, wier mening, dat beseft ze nu, de mooiste jaren van haar leven in beslag heeft genomen? Ze kruist de blikken van de mannen nu zonder iets te vrezen. Ze glijden langs haar af als de liefkozing van een licht en mild briesje. De ogen van de mannen willen niets meer van haar, ze willen haar niet veroveren of door haar worden veroverd. Kortom: ze laten haar met rust. Ze laten haar eindelijk leven.

Maar daarom blijft ze nog niet ongevoelig voor de mallemolen van de verleiding die om haar heen op volle toeren draait. Het gebeurt wel eens dat ze lang op een bank in een laan blijft zitten om de onvermoeibare steekspelen te bewonderen waaraan de anderen zich met hun ogen overgeven.

Het uithoudingsvermogen van de mannen brengt haar in vervoering. De kunstgreepjes van de vrouwen verbazen haar. Ze denkt aan alle energie die zijzelf in dat soort spelletjes heeft gestoken. En natuurlijk gaan haar hele tederheid en medeleven opnieuw uit naar de heel jonge meisjes, die zich overgeven aan de verrukkingen van de schone schijn, zonder een idee te hebben van de dwang die deze met zich meebrengt.

Vrij zijn van de zorgen om haar kleding als ze uitgaat voor een wandeling in het plantsoentje of elders, maakt deel uit van haar grote zorgeloosheid in alles. Voordat ze het huis verlaat brengt ze geen benauwde uren meer door met zich voor haar wagenwijd geopende kleerkast af te vragen of de Burniers niet bij gelegenheid van een of ander diner het rode ensemble hebben gezien, of Gisèle niet op het zeer slechte idee is gekomen in de uitverkoop van een boetiek stiekem hetzelfde jasje te kopen als zij. Afgezien nog van de minnaars, de geduchte veeleisendheid van de minnaars, van Jacques, mijn God Jacques, die ze bij elke ontmoeting moest verrassen met een origineel frutseltje of een nieuw kantje, wat volgens hem noodzakelijk was om zijn erotische inspiratie op gang te brengen!

Kortom: als het koeler wordt draagt ze het grijze mantelpakje met de dikke nylonkousen, als het warmer wordt trekt ze haar marineblauwe crêpe jurk en katoenen kousen aan.

Door deze kleren, die niet te strak zitten, in tegenstelling tot haar vroegere kleren, die tot een foltertuig werden als ze ook maar even wat meer at, ontdekt ze ook de verdiensten van het comfort, een comfort voornamelijk gebaseerd op een soort verzorgde en in feite zelfs tamelijk elegante nonchalance, met een bijpassende hoed en nethandschoenen.

Solange maakt zich geen zorgen meer, noch om haar gewicht noch om haar huid. Haar weegschaal heeft ze trouwens aan haar dochter gegeven voordat deze naar Spanje vertrok. Het beetje molligheid dat haar spieren en vlees hebben gekregen vindt ze heel erg goed bij haar passen.

Omdat ze van haar lichaam niets anders verlangt dan dat wat nodig is om goed te functioneren, wat het overigens nog nooit zo goed heeft gedaan, doet ze zich geen geweld meer aan.

Haar nieuwe ontdekking, haar nieuwe vrijheid.

Als de natuur haar de gunst verleent dat haar lichaam het zichtbaar en objectief laat afweten, aanvaardt ze deze dankbaar. Vorige maand, bij de aanschaf van haar eerste bril, onderging ze bijna dezelfde emotie als bij die van haar eerste paar zijden kousen, op haar vijftiende verjaardag. Sindsdien maakt ze er naarstig gebruik van, ze zet hem telkens weer op en af, enkel om het genoegen te weten dat ze hem heeft.

Al enkele dagen heeft ze de indruk dat ze minder goed hoort. Haar zeldzame gesprekspartners, in het bijzonder op Avondrust, waar aandachtig luisteren een teken van beleefdheid, wellevendheid en zelfs welvoeglijkheid is omdat iemand iets laten herhalen bewijst dat je hem bijzonder veel aandacht schenkt, laat ze vaak tweemaal hetzelfde zeggen. Op haar beurt neemt ze dan de niet onelegante gewoonte aan voorover te gaan zitten en haar hoofd in de richting van de spreker te buigen, met alle voorkomendheid die dit gebaar inhoudt. Haar eigen woorden, die een plechtig en verheerlijkt karakter hebben gekregen door de eenzaamheid in huis, geeft ze eindelijk, dat beseft ze nu, de plaats die ze verdienen.

Bazelen past niet onder alle omstandigheden. Soms

moet ze nieuwe woorden zien te vinden, iets origineels bedenken.

Hardop met zichzelf praten en daarbij de kunst van het spreken bijschaven, alle stijlfiguren van de welsprekendheid aanwenden, houdt haar erg bezig. Zo houdt ze voortdurend verhandelingen over het raadsel Michel, de man met de dikke, vochtige arm, en diens magere vrouw. Wat kan zij toch hebben gedaan, en dan ook nog ter wille van hem, dat ze niet had mogen doen? Na talloze interpretaties heeft Solange zich voor twee even ernstige fouten uitgesproken: ze heeft haar haar afgeknipt of haar kind niet gehouden, ook al kan de obscene heftigheid van hun kus aan een of ander duister seksueel misdrijf doen denken…

Door zo hardop in haar eentje te praten krijgen de woorden ook een gewicht, een andere betekenis, vooral in de keuken, die tegelijkertijd haar salon, werkkamer, eetkamer en uitkijkpost is geworden.

Op de uitkijkpost, dat wil zeggen in de hoek bij het keukenraam, blijft ze haar verkenningen verdiepen. Ze kent de mensheid nu beter dan na tweeënvijftig jaar van stormachtige en hartstochtelijke grote manoeuvres. Staande buiten het krijgsgewoel ziet ze eindelijk duidelijk het hele gedoe van de strijders, en natuurlijk heeft ze eens temeer met hen te doen.

Als de ernstige oude meneer aan de overkant van de straat achter het raam staat, is haar geluk volkomen. Zonder iets te zeggen delen ze het schouwspel, en zonder iets te zeggen zijn ze het altijd met elkaar eens. Hun stilzwijgende gemeenschappelijke blik wordt even ritueel als de eenzame woorden die Solange uitspreekt als ze haar sperziebonen afhaalt of haar blouse strijkt...

Toen ze op een zondag, op het moment dat ze wilde uitgaan, door het raam de hemel afspeurde om te zien of het zou gaan regenen, wilde het toeval dat op het trottoir aan de overkant Jacques en Colette langdurig naar haar huis stonden te kijken.

Ze zal niet gemakkelijk vergeten hoe haar hart van schrik begon te bonzen. Ze achtervolgden haar! Samen! Zelfs hier! Toch had ze ieder van hen een brief geschreven waarin ze, met een beroep op hun liefde en hun vriendschap, om haar vrijheid vroeg, zij het zonder afbreuk te doen aan die liefde en die vriendschap. Het leek haar nochtans dat ze voldoende overtuigend was geweest ten aanzien van haar eis, de enige: afstand nemen en de bestaande relatie onderbreken, voor enige tijd, had ze gepreciseerd met de heimelijke gedachte dat dat 'enige tijd' onbegrensd zou zijn.

Wat stonden ze daar nu onder haar raam te bekokstoven? Welk complot smeedden ze met hun koppige en bezorgde gezichten tegen haar? Ongetwijfeld hadden ze haar gezien voordat ze terugdeinsde, want nadat ze zich achter het cretonnen gordijn had teruggetrokken stelde ze vast dat ze niet weggingen en zo onverstoorbaar en streng als een paar bewakers op hun post bleven staan.

Waarom belden ze niet aan? Ze wist het niet. Ze lieten het bij deze afschuwelijke spionage, die een goed halfuur duurde, een eindeloos lange tijd, gedurende welke de speciaal voor de wandeling naar het plantsoentje opgestreken blouse van de opgejaagde Solange doorweekt raakte van het zweet.

Solange, die niet tot enige beweging in staat was en haar blik gericht hield op de lastposten, waarin ze met moeite haar minnaar en haar vriendin herkende, zou het misschien hebben begeven, als haar gewetensvolle medeplichtige, de ernstige oude meneer, niet als door een wonder aan het raam aan de overkant was verschenen. Hij had nauwelijks een paar seconden nodig om de situatie te overzien. Wat hij toen deed was heel eenvoudig, zo eenvoudig dat Solange, als ze eraan terugdenkt, er een teken van zijn genialiteit in ziet. Hij opende luidruchtig het raam precies boven Colette en Jacques, die verrast naar boven keken, en volstond ermee de beide indringers met zijn meedogenloze ogen, in staat om door de mensen en dingen heen te kijken, te doorboren, tot ze op zijn minst gegeneerd en ontmoedigd de aftocht bliezen, Jacques als eerste.

Solange kwam uit haar cretonnen schuilplaats tevoorschijn. Ze vond het normaal, meer dan normaal dat de ernstige oude meneer haar beduidde naar de overkant te komen.

Gezien vanaf de overkant is de straat niet helemaal dezelfde. Een ander decor luistert er het schouwspel op dat zich dagelijks afspeelt.

Het andere perspectief, de nieuwe kijk op de dingen, stemt Solange vrolijk. Ook het feit dat ze haar eigen keuken met de cretonnen gordijnen ziet. Door het zij aan zij staan met de ernstige oude meneer beleeft ze de confrontatie nog intenser. Het is een andere manier om iets te delen.

Ze gaan aan het raam staan zoals je naar de schouwburg gaat voor een tevoren uitgekozen opvoering. Het uitgaan van de school heeft altijd hun voorkeur. Ze hebben zich aan dezelfde kinderen gehecht. Het zijn dezelfde ouders die hen vertederen of hun verontwaardiging wekken, alsof recht en onrecht hier na schooltijd spreken uit de kusjes en klappen.

Hun samenzijn verandert niets aan hun gewoonte te zwijgen. De ernstige oude meneer praat trouwens bijna nooit. Kijken is voor hem voldoende. Zijn ogen, alleen zijn ogen spreken daarna over wat ze hebben gezien.

Zoals ze bij de mevrouw met de rode kater leert te bazelen, onbegrensd en zonder uitwerking woorden leert te gebruiken, wijdt ze zich bij de ernstige oude meneer in in het stilzwijgen. Als ze thuis de hele tijd hardop in haar eentje heeft gepraat terwijl ze een nieuwe grassoort in haar schrift natekende of de aardappelen pureerde, steekt ze soms de straat over om het genoegen van het zwijgen.

Bij de ernstige oude meneer heerst een veelbetekenende wanorde, alsof de zo'n beetje overal en op de meest onlogische plaatsen verspreide voorwerpen tot functie hebben door hun overvloed de afwezigheid van woorden uit te drukken en te compenseren. Het contrast is niet onaangenaam voor Solange, wier appartement (dat in feite beperkt blijft tot de keuken en de slaapkamer) stelselmatig wordt opgeruimd. Want Solange ruimt met toewijding op. Ze beschut alles tegen iets anders, al was het maar tegen het stof, dat ze zich laat ophopen alsof het de bewaker van de tijd is. Soms maakt ze rommel om het plezier opnieuw te kunnen opruimen. Ze gooit niets weg van wat ze van buiten meebrengt. Elke papieren of plastic zak wordt opnieuw gebruikt om allerlei spullen in op te bergen of andere papieren of plastic zakken in te bewaren.

Als ze een wandeling maakt of een dutje doet op Avondrust, put ze een grote voldoening uit de wetenschap dat thuis alles op zijn plaats ligt. Op dezelfde manier gaat ze te werk in kamer 25, boven de begonia's.

Bij de ernstige oude meneer brengen ze ook rustige ogenblikken door, hij door onvermoeibaar geheimzinnige houten en kartonnen dingen in elkaar te zetten, zij door te lezen of te mijmeren, bedwelmd door de geur van de lijm, dezelfde witte, naar amandel ruikende lijm die ze heimelijk achter het opgeklapte blad van haar schoolbank opsnoof terwijl de onderwijzeres rechtsboven op het bord de datum noteerde, alsof elke schooldag op die manier plechtig moest worden vastgelegd.

Mijmeren... Overigens een erg zwaar woord om de ogenblikken te beschrijven dat Solange, gezeten in een fauteuil, met haar beide handen op haar jurk, starend naar een fictief punt in de ruimte, in werkelijkheid volledig bezig is met aan niets te denken, zoals ze dat reeds in het plantsoentje in gezelschap van de ernstige oude meneer heeft geleerd. Aan niets denken en oppassen dat dat niets niet tot iets wordt, een mentaal hoogstandje waaraan voor haar geen spiritualiteit of mysticisme te pas komt. Een toestand van een extreme sensualiteit, waarin het lichaam als enige in beweging is zonder ook maar even te bewegen, een soort opgaan in het verstrijken van de tijd en er zelf een levend en gedwee deel van worden.

Als Solange als uit het niets bovenkomt, heeft ze het zeer bevredigende gevoel dat ze zich de serene luxe van het onvermijdelijke heeft veroorloofd. Ze herinnert zich niet dat Jacques, zelfs op zijn best, haar ooit het verrukkelijke gevoel heeft gegeven op te bloeien op het punt van evenwicht waarop leven en dood één zijn.

De ernstige oude meneer weet dit waarschijnlijk heel goed, want op zulke momenten slaat hij de ogen op van zijn werkstuk en kijkt hij Solange licht blozend aan.

Soms zet de ernstige oude meneer de radio aan voor de nieuwsberichten, kennelijk minder om te luisteren dan om in contact te blijven, om de principiële inspanning nog deel te nemen, maar zonder overtuiging. In elk geval vergen de actualiteiten, net als de berichten op het antwoordapparaat, een bovenmatig concentratievermogen van Solange. Ze komen tot haar in een veel te oude taal, een taal die ze sprak in een land waaruit ze zich allang zo verbannen voelt dat ze moeite heeft met de zinsbouw en de woordenschat.

Als hij de radio afzet en de stilte hen opnieuw omgeeft, slaken de ernstige oude meneer en Solange dezelfde zucht van verlichting. Maar alweer kan ze zich alleen maar dankbaar voelen jegens de anderen, al die anderen die in het strijdgewoel blijven en met eenzelfde moed, eenzelfde hardnekkigheid doorvechten, zonder van haar te verlangen dat ze het ermee eens is.

Zelfs als ze denkt aan haar twee achtervolgers, Colette en Jacques, terecht door de ernstige oude meneer verdreven, is ze vertederd. Dat geldt vooral voor Colette, met wie ze ten slotte uit zichzelf een afspraak heeft gemaakt.

Ze denkt niet erg graag terug aan die ontmoeting op de bank in het plantsoentje, waar Colette huilde van machteloosheid. Het verhaal van de dame in het blauw deed haar vriendin, in een nog strakkere spijkerbroek gesnoerd dan gewoonlijk en zo agressief dat het pijn deed om te zien, nauwelijks iets. Colette ging als eerste weg. Solange hoort nog hoe het ijzeren poortje droog en voorgoed dichtsloeg. Dan zegt ze bij zichzelf dat ze haar dat misschien niet had moeten voorstellen. Haar niet had moeten voorstellen naar haar toe te komen...

Solange blijft nooit lang bij de ernstige oude meneer. Ze gaat naar hem toe met dezelfde instelling als waarmee ze naar het plantsoentje of naar Avondrust gaat: zonder noodzaak, gedreven door het nietsdoen, omdat ledigheid alles is waarnaar ze verlangt, het enige dat haar passen van de ene plek naar de andere voert, zonder drang of dwang. Maar wat ze het meeste waardeert bij deze zwijgzame metgezel, is bij een man te zijn zonder de verplichting te geven of te nemen, om de eenvoudige reden dat er niet veel te geven of te nemen valt. Op dit 'niet veel' berust nu juist het feit dat ze volkomen belangeloos het zwijgen en het beschouwen van de wereld delen op een manier die niet om bewijzen vraagt. Deze keer veroorlooft Solange zich het geluk met een man om te gaan zonder dat hij zich onderwerpt aan een onderzoek naar zijn mannelijkheid. Wat een vrijheid, eindelijk, na zoveel jaren waarin ze met hoge woorden en plechtige beloften het toch zo duidelijke verschil tussen de geslachten moest aantonen.

Als ze met kleine pasjes de trap van het huis aan de overkant beklimt, even rustig als wanneer ze thuis naar boven gaat – zonder de afmattende hartkloppingen die het voorspel vormen tot het weerzien van de geliefde, weliswaar vol hoop, maar ook vol dreiging, vol duistere voorgevoelens, zonder dat vermoeiende vertoon van behaagzucht, die overdaad aan parfum en frutseltjes – twijfelt Solange zo weinig aan haar vrouwzijn dat ze niet verplicht zal zijn of geweest is dit te bewijzen. Daarom denkt Solange dat onder alle mannen in haar leven de ernstige oude meneer verreweg degene is die haar het meeste bevrediging schenkt.

Het tempo waarin de telefoontjes elkaar opvolgen is sterk afgenomen.

De standaardbrief is niet zonder uitwerking gebleven.

Jacques, die door een dodelijke blik is getroffen, heeft het dus opgegeven. Colette heeft, eenmaal tot bedaren gekomen, een soort excuusbriefje gestuurd, niet voor wat ze had gezegd, maar voor de manier waarop ze het had gezegd. Ze kondigt andere brieven aan, maar ze laat geen berichten meer achter op het antwoordapparaat.

Op een ochtend dringt het dankzij Delphine, wier heldere stem in het halfduister van de salon binnendringt om te vertellen dat ze terug is uit Spanje, tot Solange door dat er meer dan drie maanden zijn verstreken. Drie maanden?

Ze legt haar leerzame vogelboek, waardoor ze eindelijk een naam kan plakken op alle gevederde dieren die boven haar hoofd in de kastanjeboom kwetteren, op haar knieën.

Haar dochter komt straks, ze verlangt ernaar, zegt ze met klem, haar moeder te omhelzen. Delphine heeft zonder verbazing nota genomen van het adres van Avondrust, waarschijnlijk in de veronderstelling dat dit een hotel-restaurant is.

Drie maanden is natuurlijk een lange tijd. Maar voor Solange is het slechts een eenvoudige aaneenschakeling van dagen. Drie maanden, drie dagen, drie jaar: wat is het verschil?

De tijd heeft zich niet tegen het nieuwe ritme verzet. De grote en de kleine wijzer zijn in onderlinge overeenstemming gezwicht voor een andere tijdmeter: het regelmatige ritselen van de crêpe jurk langs de katoenen of nylon kousen, al naargelang de temperatuur buiten.

'Hebt u Peentje ook gezien?'

Solange gaat rechtop zitten. De mevrouw van de rode kater zwaait ontsteld met de lege halsband.

'Nee, het spijt me…'

Zonder haar rode kater lijkt de mevrouw van de rode kater gehandicapt.

'De kleine Emilie misschien...' oppert Solange.

Heeft de mevrouw van de rode kater zonder kater haar gehoord? Ze gaat weg. Voor het eerst merkt Solange op dat ze mank loopt.

Solange leest verder. Wat ze over de koekoek verneemt bevalt haar in het geheel niet. Het spijt haar dat ze zo vaak aandachtig heeft geluisterd naar het idyllische gezang van moeder koekoek, die volgens het boek niet in staat is een nest te bouwen en haar eieren laat uitbroeden door andere vogels, na hun nakomelingen overboord te hebben gegooid.

Ook al windt ze zich nergens meer over op omdat heftige gemoedsbewegingen niet stroken met de praktijk van de ledigheid, Solange permitteert zich toch nog af en toe ontstemd te zijn, vooral als het gaat om geweld waaraan niets te veranderen valt, natuurgeweld bijvoorbeeld. Kortom: ze is boos op moeder koekoek.

'Mama?'

Bovendien moet ze door de koekoek opnieuw denken aan Michel, de man met de dikke, vochtige arm, en zijn

meelijwekkende levensgezellin. Het lijkt haar nu duidelijk dat de vrouw de fout heeft begaan haar kind op te offe-
ren, het overboord te gooien…

'Mama?'

Delphine staat vlak bij haar rotan ligstoel. Ze zegt 'mama?' alsof ze niet zeker is, alsof ze twijfelt.

Moeder en dochter omhelzen en kussen elkaar. Een
goede, mooie tederheid, en voor Solange, die al maanden
geen lichaam in haar armen heeft gehad, het geluk van
een warme, welriekende liefkozing. Delphine gaat op de
rand van de ligstoel zitten. Ze bekijken elkaar.

Solange vindt haar dochter prachtig, stralend.

Zeker, in Delphines ogen valt iets van verlegenheid te
bespeuren, dezelfde verlegenheid die Colette en Jacques
het befaamde, even spijtige als vergeefse 'Wat is er aan de
hand?' ontlokte. Maar Delphine verlaagt zich niet net als
de eerste avond, toen ze haar moeder in het grijze mantelpakje zag, tot deze vraag (toen overigens minder vanwege
het mantelpakje dan om haar overdaad aan ongebruike-
lijk gezond verstand). Dat is erg prettig voor Solange, die
niet anders verwachtte van haar kind, haar dochter, met
andere woorden een deel van haarzelf.

'Heb je het hier naar je zin, mama?' vraagt Delphine eenvoudig.

'Ja, heel erg.'

Solange neemt de hand van het meisje. Op een van de handen de schaduwbloemen, een kostbaar borduurwerk van de tijd, op de andere geen enkel stempel, geen enkel spoor: de naakte, vlekkeloze schoonheid van de jeugd. In de omringende fauteuils de knikkebollende oude hoofden. Het is het uur van het middagdutje.

'Blijf je hier lang?'

'Wat zeg je?'

'Blijf je hier lang?' vraagt Delphine nogmaals heel rustig.

'Ja… Waarschijnlijk wel…'

'Je weet het niet, dat is het!' besluit Delphine met een ontwapenende glimlach.

Solange streelt haar hand bij wijze van antwoord. Delphine kijkt van haar weg.

'Ze zijn prachtig, die begonia's!'

'Ja! Dat heb je dus gezien. Ze worden verzorgd door Lucien. Lucien, dat is de tuinman. Ik ben blij dat jij ze ook mooi vindt! Mijn kamer ligt er net boven. Dat is makkelijk om ze te zien groeien… En jij, lieverd. Hoe was het in Spanje?'

De dochter vertelt een uur lang en de moeder luistert zoals ze nog nooit geluisterd heeft, vanuit een nieuwe zienswijze, vanaf een onbekend punt op de kaart van de Tederheid.

Ten slotte lachen ze zo hard om Delphines vader dat een verpleegster vanuit de verte een vinger op haar mond legt en naar de twee slapende oudjes wijst. Ze gaan zachter praten.

'En jij, mama, vertel je het me?' fluistert op haar beurt Delphine quasi achteloos.

Solange denkt aan de dame in het blauw, aan de gezamenlijke glimlach. Kun je zoiets vertellen?

'Ik zal het je vertellen…' belooft ze desondanks. En zonder overgang voegt ze eraan toe: 'Hou je van groentesoep?'

'Heerlijk!' antwoordt Delphine zonder ook maar even te aarzelen.

Dat zei ze nog niet zo lang geleden ook van kauwgom, lolly's en patat. Of misschien heel lang geleden. Drie of dertien jaar: wat is het verschil?

Een heerlijk vooruitzicht. Solange ziet de behaaglijke avond in de keuken met de van de preisoep beslagen ruiten voor zich: zijzelf als vertrouwelinge, vreedzaam, geruststellend, Delphine als een veroveraarster die zich gedurende de tijd dat ze soep eten schuilhoudt, alvorens opnieuw op haar bataljons minnaars los te stormen…

De vogels in de kastanjeboom gaan tekeer. Een van hen gaat als een razende en met een ratelend geluid de stam te lijf.

'Dat is een boomklever, weet je', legt Solange uit. 'Het bijzondere aan hem is dat hij met zijn kop naar beneden, van boven naar beneden langs de stam zijn voedsel zoekt.'

'Interesseer jij je voor vogels?' vraagt Delphine, die het boek op Solanges knieën ziet liggen.

'Voor vogels… voor alles, voor niets in feite… ik…'

Solange heeft de tijd niet om haar zin af te maken. De mevrouw van de rode kater duikt met Peentje in haar armen op. Ze loopt niet meer mank.

'U had gelijk. Ik heb hem bij de kleine Emilie teruggevonden.'

Solange stelt haar dochter voor. De mevrouw met de rode kater breit achter elkaar in een tamelijk grove ribbelsteek een hele toer over de jeugd van tegenwoordig, een mooi onderwerp voor Peentje.

Zonder het veelbetekenende knipoogje van haar moeder zou Delphine, die zich rechtstreeks aangesproken voelt, hebben geantwoord. In elk geval vertrekt de breister, terwijl ze het dier toespreekt over het verschil tussen de generaties.

Een verdiende stilte. De zon houdt op de takken van de kastanjeboom last te bezorgen. De vogels komen tot rust. De boomklever stopt zijn ratelende geluid en zit nu met geheven kopje.

Naast hen is een meneer wakker geworden. Hij kijkt lang naar de twee vrouwen, vooral naar Delphine. Probeert hij in een van de kamers van zijn geheugen, die zo lang gesloten zijn gebleven, het enigszins geroeste luik te forceren dat vroeger wagenwijd openstond op de gestalte van een meisje?

Delphine groet de oude man met een heel gracieus hoofdknikje en gooit haar manen als van een jonge merrie naar achteren.

Solange kijkt vertederd naar dat haar, dat zo op het hare lijkt: even gitzwart, dezelfde ietwat uitdagende onstuimigheid. Het heeft dit in zekere zin van het hare overgenomen. Het vormt, als dat nodig mocht zijn, een ontheffing te meer. De gedachte dat haar dochter haar opvolgt is uiterst aangenaam. Een bewijs dat de natuur niet alles verkeerd doet, zoals in het geval van de koekoeksmoeder.

Delphine, wier vermogen de dingen aan te voelen ook een erfenis is, heeft de blik van haar moeder gevoeld.

'Die knot staat je goed, mama', zegt ze zonder de minste boosaardigheid.

'Hij is vooral erg rustgevend', antwoordt Solange opgetogen. 'En het grijze haar, heb je mijn grijze haren gezien?'

In de eetkamer luidt de bel, het is vier uur, tijd voor het tussendoortje: toast met boter, koekjes, lauwwarme chocolademelk…

Alsof ze het heeft begrepen staat Delphine op. Ze strijkt haar zeer korte, zeer strakke stretchjurkje glad. Ook wat de benen betreft is de opvolging verzekerd.

'Oké. Ik ga maar eens…' zegt ze opgewekt.

'Heb je zin om morgenavond soep te komen eten… thuis?' vraagt Solange, die denkt aan de meute gegadigden die is losgelaten op de bruine, gespierde benen en haar tanden zet in de zeer korte, zeer strakke jurk.

'Thuis?' vraagt Delphine schijnbaar verbaasd, maar ook gerustgesteld. 'Ja, natuurlijk!'

Opnieuw omhelzen en kussen moeder en dochter elkaar. Delphine gaat met haar tas over haar schouder van de ene voet op de andere staan, een gewoonte die ze als kind had als ze aarzelde om iets te zeggen, een gewoonte, denkt Solange, die ze waarschijnlijk haar hele leven zal houden.

Andere oudjes worden wakker en openen verbaasd hun ogen. Alsof ze er niet over uit kunnen dat ze er nog steeds zijn, alsof ze zich alvorens in slaap te vallen hebben voorbereid op de grote sprong; sommigen zijn gerustgesteld, tamelijk opgelucht dat ze nog deel uitmaken van deze wereld, anderen daarentegen zijn van hun stuk gebracht en enigszins teleurgesteld.

'Weet je, mama...'

'Ja, lieverd?'

'Toen ik daarstraks aankwam, had ik een merkwaardige indruk.'

'O ja?'

'Ja... Stel je voor dat ik je op het eerste gezicht voor

oma aanzag... Krankjorum, vind je niet?'

Krankjorum? Als dat krankjorum is, waarom glimlacht Solange dan zo begrijpend, zo doordringend en omgeven door een blauwe stralenkrans?

D elphines terugkeer verandert niets aan Solanges leefwijze.

De eerste avond, aangemoedigd door de vertrouwde geur van de preisoep, heeft Solange verteld. Solange heeft heel goed gezien dat Delphine erg goed luisterde naar het verhaal dat ze deed terwijl ze aan de keukentafel de witte bonen dopten voor de cassoulet, een gerecht waarvan ze veel verwachtte omdat ze het vanwege haar dieet en om esthetische redenen die haar nu erg verbijsterend voorkwamen al te lang niet had gegeten.

Delphine gaf dus geen enkel blijk van ongeduld of schrik, hoewel ze met een paar slimme opmerkingen te verstaan gaf dat ze het natuurlijk wel begreep, maar dat ze er niet aan twijfelde of het was allemaal maar van tijdelijke aard. Ze lachte herhaaldelijk en toonde belangstelling voor de botanische studie van de grasachtige planten van de indianen uit Zuid-Amerika. Bij haar vertrek vroeg ze haar moeder zelfs haar het raam van de ernstige oude meneer aan te wijzen vanwaar Colette en Jacques waren verdreven.

Sinds die avond, van wezenlijk belang voor Solange, die vastbesloten is ontwijkend te antwoorden op vragen met betrekking tot het voorlopige karakter van de verandering in haar leefwijze, blijft Delphine regelmatig komen, ook naar Avondrust, al heeft ze tegenover haar moeder toegegeven dat ze liever thuis soep komt eten.

Gezegd moet worden dat deze intieme ogenblikken onmisbaar voor hen zijn geworden, meer nog dan in de tijd van Chez Pierre, het restaurant waar ze elkaar met hun eeuwige liefdesaffaires als een paar ondeugende zussen over hun slippertjes vertelden.

Deze keer is de rolverdeling duidelijk. Als Delphine in vuur en vlam is, wordt ze door Solange afgeremd. Als Delphine bedroefd is, wordt ze door Solange getroost. Op het punt waarop zij is aangeland heeft Solange eens temeer de indruk dat ze alles bezonnen en almachtig kan aanhoren, al zegt Delphine soms glimlachend dat ze maar wat kletst, waarop Solange met een glimlach antwoordt.

Als haar dochter komt eten brengt ze op goed geluk een cadeautje mee: een flesje parfum of een fantasieblouse waarvan ze weet dat hij onder in de kast belandt, in de kartonnen dozen waarin Solange haar vroegere gevechtstenues heeft opgeborgen. Daarna gaat ze spontaan op het keukenkrukje bij het raam zitten. Ook zij levert commentaar op het schouwspel dat de straat biedt, maar ze vertelt vooral duizelingwekkende verhalen vol drukte en misbaar uit de stad, waarbij ze haar benen op het ritme van de passe-vite laat bungelen.

Solange laat haar hoofdschuddend praten, een praktische reflexbeweging die ze op Avondrust heeft aangeleerd en waardoor ze zonder inspanning kan meeleven.

Soms houdt Solange op met pureren om beter te kunnen luisteren naar de barsten in of de uitbarstingen van dat jonge meisjeshart, waarvan ze nu pas ontdekt hoe merkwaardig gecompliceerd het is.

Als de dampende soep is opgeschept praat Solange op haar beurt om haar gevoelens te uiten. Delphine slikt nu tegelijk met de soep de adviezen.

Als het donker is geworden verlaat haar dochter, naar behoren gesterkt, gehard, gepantserd en geharnast, het huis, om de confrontatie met de wereld aan te gaan; ze bedankt haar moeder op een wat vreemde manier. Je voelt dat ze heen en weer wordt geslingerd tussen het voordeel eindelijk een moeder te hebben die wijs is geworden en het nostalgische verlangen haar opnieuw bij haar escapades te betrekken. En dan, in het trappenhuis, vergeet Solange nooit de vredeskus op het voorhoofd van de jonge krijgslustige vrouw te drukken…

De weken en maanden verstrijken in dezelfde zorgeloosheid, ze rijgen zich aaneen zonder dwingende noodzaak, net als de houten en kartonnen constructies van de ernstige oude meneer, met wie de moeilijk te begrijpen, zwijgende idylle voortduurt.

Op een middag, net na het vieruurtje van de kinderen die uit school kwamen, gaf de ernstige oude meneer Solange een pakje. 'Voor Delphine', zei hij. Hoe wist hij van het bestaan van haar dochter en, vooral, hoe kende hij haar voornaam? Misschien had hij haar op de avonden dat ze haar bezocht achter het cretonnen gordijn gezien, tenzij de mevrouw met de rode kater voor hem een paar steken over haar had gebreid.

In het pakje zat, zorgvuldig in cellofaanpapier verpakt, een constructie van hout en karton die Delphine 'te gek' vond, misschien met een zekere beleefdheid waar Solange niet in trapte, maar die ze op prijs stelde.

Terwijl ze naar beneden gaat, zich voorzichtig aan de leuning vasthoudend omdat ze zich sinds kort enigszins duizelig voelt op de steile trap die ze zo vaak, foeterend op haar horloge, als een huzaar is afgestormd, denkt Solange aan haar eigen constructie, die van haar nieuwe bestaan, dat alleen door de ledigheid en het toeval bij elkaar wordt gehouden. Het valt niet in te zien wat deze harmonische en vrije constructie, helemaal op duurzaamheid berekend, nu nog zou kunnen verstoren.

Geen brief van Colette in de brievenbus. Een goed voorteken voor het kleine programma dat ze tijdens het ontbijt, tussen het toastje met abrikozenjam waarvan ze verleden week een paar potten heeft gemaakt en het toastje met acaciahoning, heeft bedacht. Ze is van plan met de bus naar de Seine te gaan.

Het duurt lang eer lijn 85 komt, maar ze heeft alle tijd en het koele middagbriesje is erg aangenaam. Ze heeft bovendien haar nylonkousen en haar grijze mantelpakje aangetrokken. Er komen nog meer mensen en de rij wachtenden is abnormaal lang voor dit tijdstip en voor deze plek. De mensen worden ongeduldig en winden zich op: het openbaar vervoer is niet meer wat het geweest is.

Solange opent haar gevlochten leren tasje. Ze schudt haar hoofd en dept haar ogen met haar geborduurde zakdoekje.

Eindelijk komt de bus. Hij is tjokvol. De mensen verdringen elkaar om in te stappen. Solange wordt op de stroom mee naar binnen gevoerd.

Ze dacht rustig te kunnen zitten en het landschap te kunnen bewonderen en staat nu ingeklemd tussen een mevrouw van een jaar of zestig – tamelijk chique, met haar paarsachtig getinte witte haar, maar met een twijfelachtig parfum, waarschijnlijk viooltjes – en een met boeken beladen studente, wier lange haren aan haar neus kriebelen.

Tegenover haar zit een jongen met een hoofdtelefoon op. Ze hoort het irritante geknister van zijn muziek, een ritme dat hem schijnt te bevallen, want hij tikt met een voet de maat mee.

Solange maakt zich los van de twee vrouwen en gaat

voor hem staan. Ze geeft blijk van haar ongenoegen.

Aangezien ze zich al heel lang niet meer kwaad heeft gemaakt omdat ze daar nauwelijks de gelegenheid toe had, weet ze nog niet dat de woede in haar de kop opsteekt, een gezonde, want gerechtvaardigde woede om dat uilskuiken, die vlerk, die niet heeft geleerd dat hij voor oudere mensen moet opstaan.

Hoe bestaat het! Hij blijft zitten en verroert geen vin, het zou niet eens bij hem opkomen!

Solange, die boos is, beweegt haar tasje boven zijn hoofd heen en weer. Ze zucht met toewijding.

Het gehobbel van de bus is onaangenaam, maar het onverschillige gezicht van de jongen, die er vrolijk op los knistert, is nog onaangenamer.

Solange kan zich niet meer beheersen en ontploft: 'Zeg eens, jongeman, zou je je plaats niet afstaan?'

En het ondenkbare doet zich voor. De jongen knikt instemmend. Zonder zijn hoofdtelefoon uit zijn oren te nemen komt hij in beweging; hij staat onmiddellijk op en geeft heel bereidwillig, en met de vriendelijkste glimlach, zijn plaats aan de chique mevrouw met het witte haar met een paarse weerschijn en het twijfelachtige parfum. Solange is verbijsterd, om niet te zeggen vernederd. Ze geeft er de voorkeur aan uit te stappen en op de volgende bus te wachten.

Veel later geniet ze van het zo lang verwachte moment het water van de Seine tegen de Pont Neuf te zien klotsen, maar aan het voorval in de bus houdt ze een gevoel van irritatie en onbegrip over. Ze kan het van alle kanten bekijken, het lukt haar niet het gedrag van de jongen met de hoofdtelefoon te begrijpen. Voor haar is het een mysterie dat nog ondoordringbaarder is dan dat van Michel, de man met de dikke, vochtige arm. Heeft de jongen haar werkelijk aangekeken? Ze moet aannemen van niet.

Het kabbelen van de Seine, dat kalmerend heet te werken, maakt geen einde aan haar irritatie. Ze besluit per taxi naar huis te gaan.

Thuis wacht haar een verrassing: een boeket rozen voor haar deur. Het begeleidende briefje van Jacques verbaast haar door zijn fijngevoeligheid. Zonder opdringerigheid, zonder bijgedachten wil hij aangeven dat hij aan een verjaardag denkt.

Om welke verjaardag gaat het? Solange kan het zich niet herinneren, temeer omdat ze tegenwoordig vindt dat elke dag het waard is te worden gevierd, maar ze geeft toe dat het een aardig gebaar is, ook al zijn rozen heel wat minder aantrekkelijk dan begonia's. Terwijl ze de vaas met bloemen op het balkon zet, zodat ze van de koele nacht kunnen profiteren, en denkt aan de buitengewone terughoudendheid van haar vriendin, die haar niet meer met haar berichten en brieven tiranniseert, vraagt ze zich af of Delphine Colette en Jacques misschien de les heeft gelezen…

Terwijl ze het venster dichtdoet ziet ze haar voor het bovenste ruitje. Een pracht van een spin die in haar web troont. Haar hart begint sneller te kloppen. Vroeger zou dat van angst zijn geweest, nu is het van een merkwaardige emotie, dezelfde die ze onderging toen een witte uil per ongeluk in de open haard van de werkkamer van haar vader was gevallen. Ze herinnert zich bij de vogel te hebben gewaakt, ze herinnert zich vooral de vreemde blik in die twee te grote ogen. 's Ochtends besloot Solange dat de dood van de uil niet zo erg was, dat slechts de magische ontmoeting tussen een witte uil die uit de nacht was komen vallen en een zevenjarig meisje met een roze schortje en met inkt besmeurde vingers zou overleven…

In het hart van de stad, in deze vroeger zo onrustige salon waar gedebatteerd en bemind is, smeedt ook de spin een band, ze doet de rust en eenzaamheid eer aan, ze is dankbaar voor de stilte, het halfduister, ze begroet de afwezigheid van stofdoeken, is de kroon op de berekende traagheid, het nieuwe ritme, het zachte wiegen.

Solange kijkt glimlachend naar deze gezellin in de rust. Voortaan zullen ze getweeën de vrede weven, de tijd ophangen aan de transparante draden van hun teruggetrokken leven en in een geheime verstandhouding met hun tweeën in de leegte bengelen.

Ze doet de deur van de salon behoedzaam dicht en neemt zich voor bij gelegenheid een boek over spinnen te kopen.

Ze kruipt tussen de lakens en vindt het als elke dag heerlijk te gaan slapen zonder dat ze uitgeput is, met alleen die avondlijke matheid die om rust vraagt, een ontspanning eerder uit wellust dan uit noodzaak.

Door de aanwezigheid van de spin denkt ze niet meer aan de onaangename scène in de bus, waaraan ze trouwens niet meer wíl denken.

Op het nachtkastje kijkt vanuit een lijstje, dat ze speciaal voor de foto uit het album heeft gekocht, Solanges moeder in het grijze mantelpakje naar haar.

Ze lijkt wel mijn zus, denkt Solange nogmaals, maar eens temeer wordt ze getroffen door de droevige blik, door de melancholie die het gezicht van haar moeder vertroebelt, alsof haar trekken door de leeftijd zijn verwrongen en vertrokken.

Solange slaakt een zucht van welbehagen terwijl ze van haar kruidenthee nipt. Ze beseft hoe gelukkig ze is vergeleken bij die zuster en moeder, die zo smartelijk geweld is aangedaan door een ouderdom waarop ze niet zoals zij heeft kunnen vooruitlopen.

Een aangename loomheid overspoelt elk deel van haar lichaam, daarna kapseist ook haar geest, overspoeld door hetzelfde milde gevoel, langzaam. De slaap komt vanzelf, na uit beleefdheid driemaal zachtjes aan de deur van haar lichaam te hebben geklopt, omdat hij weet dat hij verwacht wordt door het laatste slokje kruidenthee.

Solange loopt op straat.

Terwijl ze het plantsoentje verlaat waar ze behalve de tuinman, die haar tussen het geronk van zijn maaimachine door bestookte met onbescheiden vragen en zich uitleefde op de arme grassprietjes die Peentje zo nodig heeft, niemand heeft ontmoet, bekruipt haar de lust in de richting van de grote boulevards te lopen. Waarschijnlijk komt dat door haar droom van afgelopen nacht. In plaats van keuvelend naast haar te lopen verdween de dame in het blauw, haar gezicht verbergend, op mysterieuze wijze in de menigte.

Solange bevindt zich in de continue mensenstroom op straat.

Om haar heen stagneert de stroom. Ze laat de mensen passeren. Ze werpen een blik vol ergernis op haar en lopen door, vastbesloten de stroom in te halen, zich opnieuw als bij afspraak bij het tempo, de collectieve opmars aan te sluiten, alsof ze allemaal hetzelfde doel nastreven.

Solange loopt rustig.

Ze flaneert, terwijl de anderen hollen.

Door de algemene opwinding wordt haar eigen onverstoorbaarheid des te aangenamer.

Ze denkt aan de spin, aan de manier waarop deze langzaam, voorzichtig en in evenwicht achter het bovenste ruitje langs haar transparante draden loopt. Ook Solange volgt haar draad, langzaam en voorzichtig, de draad van haar bestemming zonder dwang.

Ze loopt voetje voor voetje, heel bewust, heel regelmatig, ze weegt in een zacht wiegende beweging van haar lichaam de druk van elke voetstap op het asfalt af.

Op de grond wiegt de schaduw van haar blauwe hoed mee: een bloem in een briesje.

Ze buigt haar hoofd voorover om het regelmatige ritselen van haar marineblauwe crêpe jurk tegen haar lichte katoenen kousen te horen.

Uit de menigte stijgt een weerzinwekkend luchtje op: dat van een geforceerde mars, hardnekkig als de vermoeidheid. Het stampen van de voeten weerklinkt. Het lijkt op tromgeroffel.

Solange drukt haar gevlochten leren tasje tegen zich aan om zich beter af te sluiten, zich beter te beschermen tegen het geestdriftige gedoe om haar heen...

Het begint met een eenvoudige aanwezigheid naast haar, daarna wordt haar indruk bevestigd: iemand gaat langzamer lopen. Iemand houdt de pas in.

Een vrouw.

Op de grond tekent haar schaduw zich af: een gedaante in een kort mantelpakje, en haar, haar dat wappert in de wind.

De vrouw aarzelt. Ook zij laat iedereen passeren. Solange voelt dat ze steeds kleinere stappen neemt en gelijk met haar oploopt...

Solange vindt dat de twee schaduwen die nu onverschillig, soeverein wiegen, goed bij elkaar passen, ze vindt hun ritme te midden van de verwarring heel melodieus.

Ze denkt terug aan haar droom van afgelopen nacht, de droom van de dame in het blauw, die met een onbekend gezicht in de menigte opging.

Solange blijft voor zich kijken. Ze weet het. Ze is bijna geneigd om te lachen, omdat ze het weet.

Heel lang lopen ze zo zwijgend voort, tot de vrouw even wacht en opnieuw lijkt te aarzelen.

Solange kijkt naar haar.

De glimlach die ze uitwisselen lijkt op een instemming.

De vrouw slaat de hoek van de straat om.

Het is gebeurd.

De vrouw verwijdert zich nauwgezet, heel regelmatig, ze weegt de druk van elke voetstap op het asfalt in een zacht wiegende beweging van haar lichaam af, het hoofd als bewust lichtjes gebogen.

Solange kijkt haar na.

Het zou overdreven zijn te zeggen dat ze op het idee komt. Het is meer een impuls.

Een impuls die haar dwingt eensklaps vlugger te gaan lopen.